Rolland
Roger

TESTS POUR AMOUREUX

Ce livre appartient à

____

Du même auteur :
Comment devenir et rester une femme épanouie sexuellement
© Édimag inc. 1988

L'orgasme de la compréhension à la satisfaction
© Édimag inc. 1989

Le point G
© Édimag inc. 1990

2348, rue Ontario est
Montréal, Qc
H2K 1W1
Tél.: (514) 522-2244

Éditeur : Pierre Nadeau
Photo de la couverture : Daniel Poulin
Illustrations : Michel Poirier
Mise en pages : Iris Communication
Distribution : Québec-Livres
Une division de Groupe Quebecor
4435, boulevard des Grandes Prairies
Saint-Léonard, Qc
H1R 3N4
Tél.: (514) 327-6900

Dépôt légal : premier trimestre 1992
Bibliothèque nationale du Québec
Bibliothèque nationale du Canada

ISBN : 2-921207-52-4

CLAIRE
BOUCHARD

TESTS POUR AMOUREUX

Avant-propos

Je suis sexologue. Depuis plusieurs années, je reçois en consultation des individus et des couples aux prises avec des difficultés sexuelles. Mon travail dans les médias m'amène aussi à entrer en contact avec des gens qui sont plus ou moins heureux dans leur sexualité. Quels que soient l'âge, le sexe, le statut social des personnes que je rencontre (avec ou sans problème sexuel), je constate qu'il n'est pas facile d'aborder le thème de la sexualité.

Bien sûr, il y a beaucoup moins de tabous qu'autrefois par rapport aux choses du sexe. On ne sursaute plus en entendant les mots pénis ou vagin. Toutefois, là où ça demeure très délicat, c'est lorsqu'il s'agit de parler de SA sexualité. Il n'y a pas, je crois, de sujet de discussion plus explosif que celui-là. Par exemple, comment dire à l'autre qu'on préférerait telle ou telle caresse sans qu'il ou elle se sente accusé(e) d'être un(e) amant(e) médiocre?

C'est la raison d'être de ce livre. Je m'explique. Je recherchais une façon de permettre aux couples de parler de leur vie intime et sexuelle sans que cela ne devienne dramatique et (ou) décourageant. Je désirais que ce soit simple, amusant et que cela ne ressemble pas trop à une recette de cuisine. C'est comme ça que m'est venue l'idée des tests.

Pour commencer, je me suis posé certaines questions. Quels sont les sujets que j'aborde avec mes clients? Quels types de questions est-ce que je leur pose? Quels sont les facteurs qui influencent leur vie amoureuse et sexuelle? Quels sont les problèmes les plus fréquents? etc...

Au fur et à mesure que les questions s'accumulaient, les thèmes des tests se précisaient. Puis j'ai commencé le travail d'écriture proprement dit. Pour bâtir chacun des 22 tests de ce livre (sauf celui sur la toxicomanie qui provient des Alcooliques Anonymes), je me suis servie de mon expérience de thérapeute. Bien sûr, je ne passe pas ce type de questionnaire à mes clients; toutefois, tout en conversant, on pose des questions. Et les personnes qui consultent nous font part de leurs préoccupations. Ce sont ces questions et ces préoccupations qui ont inspiré le contenu des différents tests que je vous propose.

Ceux-ci, et je crois qu'il est important de le noter, n'ont aucune prétention scientifique. Vous êtes libre d'accepter ou non l'interprétation des résultats. J'ai conçu ces tests d'abord et avant tout pour que vous puissiez parler de sexualité de façon sereine et amusante. Ils peuvent vous donner une idée de ce que vous êtes et de ce que l'être aimé est, et servir de point de départ à une discussion constructive. Par contre, il ne faut pas que vous y répondiez comme si vous étiez en train de passer un examen. Vous passeriez à côté du bateau et ce serait très malheureux.

J'ai divisé ce livre en 4 parties :

Partie I : Vos goûts et votre personnalité.
Partie II : Vos habitudes de vie.
Partie III : Votre sexualité.
Partie IV : Les problèmes sexuels les plus fréquents.

Chaque test est précédé d'une courte présentation. Suit le test proprement dit : pour chacun, il y a le test-madame et le test — monsieur. Bien sûr, il y a le calcul des résultats et l'interprétation de ceux-ci (pour la plupart d'entre eux). Je termine chacun des chapitres (si on peut les appeler ainsi) en faisant ressortir un point particulier du test.

On comprendra que je ne peux, dans le cadre de ce livre, faire l'étude complète de chacun des sujets abordés. Toutefois, j'ai tenté de vous donner des éléments pour alimenter votre discussion et vous permettre d'aller un peu plus loin que le simple «moi je suis comme ça et toi tu es différent(e)».

En faisant ces tests, vous découvrirez sans doute des choses sur vous ainsi que sur l'être aimé (et pas seulement des choses désagréables). Vous vous apercevrez peut-être qu'il y a des activités ou des fantaisies que vous désirez tous deux sans jamais avoir osé le dire. Il se peut aussi qu'un problème ou l'autre fasse surface. Ce qui ne veut pas dire qu'ils n'existaient pas déjà, mais là, au moins, vous avez l'occasion de les regarder en face. Si vous évitez les accusations inutiles, vous arriverez à mieux vous comprendre et à trouver le commencement d'une solution. Ce qui, entre vous et moi, est déjà mieux qu'un silence masquant la réalité.

Si vous examinez la table des matières, vous remarquerez qu'aucun test ne porte sur l'amour proprement dit. Ce n'est pas un oubli. Vous savez, c'est simplement que j'ai la conviction qu'on ne peut quantifier l'amour. Aimez-vous ou non l'être avec qui vous partagez votre vie? Vous seul le savez. Et pour que ce livre vous soit utile il faut d'abord que vous répondiez par l'affirmative à cette question. C'est, si vous le voulez, une sorte de prérequis.

Bonne lecture et bons tests!

Partie 1

Vos goûts et votre personnalité

Êtes-vous faits pour vous entendre?

Ah! L'amour! La passion! Y a-t-il quelque chose de plus excitant que la passion amoureuse? Voir l'autre dans sa soupe, fondre dans ses bras, vouloir mourir en faisant l'amour ensemble... est à la fois exaltant et épuisant. Heureusement, ou malheureusement, cet état passionnel ne dure généralement pas plus que quelques mois.

Après... oui, après on apprend à connaître l'autre. Pour certains couples, c'est le début de la fin. Ils se sont enflammés l'un l'autre, mais c'était un feu de paille. Trop d'éléments les séparaient. N'ayant ni goûts, ni valeurs, ni buts communs, seule la passion les réunissait. Celle-ci consumée, il ne leur restait plus rien à partager.

Bâtir une union durable exige d'autres matériaux que la passion. On doit être capables de s'entendre dans le quotidien. Pour arriver à une relative harmonie, on n'a pas besoin d'avoir été coulés dans le même moule (ceux qui se ressemblent trop ne s'apportent rien), mais on doit avoir certains points en commun. Si l'un ne se sent bien que dans une discothèque du centre ville tandis que l'autre ne peut respirer que sur la crête d'une montagne, cela peut ne pas être trop grave. Il est possible de s'adapter et de faire certains compromis. Cependant, si tous nos goûts et nos aspirations sont dissemblables, là on a un problème!

Des goûts et des couleurs, on ne discute pas, dit-on. Je vous invite quand même à les examiner. Vous avez peut-être plus de points en commun que vous ne le pensez. On se retrouve dans quelques pages.

ÊTES-VOUS FAITS POUR VOUS ENTENDRE? (MADAME)

1 - J'aimerais visiter :
- ❑ a) L'Italie.
- ❑ b) Le Togo.
- ❑ c) Les États-Unis.
- ❑ d) Je préfère rester chez moi.

2 - Recevoir des amis, c'est :
- ❑ a) Un plaisir.
- ❑ b) Une obligation sociale qui n'est pas vraiment désagréable.
- ❑ c) Une corvée.
- ❑ d) Une chose que j'évite, point à la ligne.

3 - À la télévision, j'aime :
- ❑ a) Les films.
- ❑ b) Les téléromans.
- ❑ c) Les sports.
- ❑ d) Les bulletins de nouvelles.

4 - Si je vais au cinéma, je choisis :
- ❑ a) Un film d'action.
- ❑ b) Un film d'amour.
- ❑ c) Une comédie.
- ❑ d) Un film d'horreur.

5 - Pour notre anniversaire de mariage (ou de rencontre), j'aimerais :
- ❑ a) Aller au restaurant.
- ❑ b) Faire un souper romantique à la maison.
- ❑ c) Passer une folle nuit d'amour dans un grand hôtel.
- ❑ d) Ne rien faire de spécial.

6 - Ma maison idéale :
- ❑ a) Serait moderne et fonctionnelle.
- ❑ b) Serait très luxueuse.
- ❑ c) Serait une vieille maison chaleureuse.
- ❑ d) Serait un condominium.

7 - J'aimerais vivre :
- ❑ a) À la campagne.
- ❑ b) En plein centre ville.
- ❑ c) En banlieue.
- ❑ d) Sur le bord de la mer.

8 - En cuisine, mes préférences vont :

- ❑ a) Aux plats raffinés.
- ❑ b) À la cuisine consistante.
- ❑ c) À la cuisine de ma mère.
- ❑ d) Je n'aime pas vraiment manger.

9 - Ma musique préférée est :

- ❑ a) Le rock.
- ❑ b) Le country.
- ❑ c) Le classique.
- ❑ d) Le jazz.

10 - J'aime être habillée :

- ❑ a) Avec soin.
- ❑ b) De façon confortable.
- ❑ c) À la mode.
- ❑ d) De façon originale.

11 - Je planifie une sortie récréative. Je choisis :

- ❑ a) La Ronde.
- ❑ b) Un musée d'ethnographie.
- ❑ c) Une randonnée pédestre.
- ❑ d) Un match de football.

12 - Parmi ces sports, je choisis :

- ❑ a) Le hockey.
- ❑ b) Le ski.
- ❑ c) La pêche.
- ❑ d) La natation.

13 - Dans le journal, je lis surtout :

- ❑ a) Les faits divers.
- ❑ b) Les nouvelles internationales.
- ❑ c) Les nouvelles sportives.
- ❑ d) Les nouvelles artistiques.

14 - On m'offre une de ces automobiles. Je choisis :

- ❑ a) Une Corvette.
- ❑ b) Une Volvo familiale.
- ❑ c) Une Cadillac.
- ❑ d) Une Mercedes sport.

15 - J'aime être en compagnie de personnes :

- ❑ a) Plus jeunes que moi.
- ❑ b) Du même âge que moi.
- ❑ c) Plus âgées que moi.
- ❑ d) Cela n'a aucune importance à mes yeux.

16 - Je choisis :
- ❑ a) Un restaurant gastronomique.
- ❑ b) Un café sympathique et pas trop cher.
- ❑ c) Un steak-house.
- ❑ d) Un fast-food.

17 - J'aime :
- ❑ a) Les soirées calmes à la maison.
- ❑ b) Les partys où ça bouge.
- ❑ c) Les rencontres mondaines.
- ❑ d) Les sorties en amoureux.

18 - Je préfère mes vacances :
- ❑ a) À la mer.
- ❑ b) À la montagne.
- ❑ c) À l'étranger.
- ❑ d) À la maison.

19 - Pour moi, la religion :
- ❑ a) Est le centre de ma vie.
- ❑ b) Est une chose relativement importante.
- ❑ c) Ne compte pas vraiment dans ma vie.
- ❑ d) J'ai mon code d'honneur personnel qui me sert de religion.

20 - En voyage, j'aime surtout :
- ❑ a) Visiter.
- ❑ b) Fureter dans les boutiques.
- ❑ c) Rencontrer les gens.
- ❑ d) M'étendre sur une plage et me relaxer.

ÊTES-VOUS FAITS POUR VOUS ENTENDRE? (MONSIEUR)

1 - J'aimerais visiter :
- ❑ a) L'Italie.
- ❑ b) Le Togo.
- ❑ c) Les États-Unis.
- ❑ d) Je préfère rester chez moi.

2 - Recevoir des amis, c'est :
☑ a) Un plaisir.
❑ b) Une obligation sociale qui n'est pas vraiment désagréable.
❑ c) Une corvée.
❑ d) Une chose que j'évite, point à la ligne.

3 - À la télévision, j'aime :
❑ a) Les films.
☑ b) Les téléromans.
❑ c) Les sports.
❑ d) Les bulletins de nouvelles.

4 - Si je vais au cinéma, je choisis :
☑ a) Un film d'action.
❑ b) Un film d'amour.
❑ c) Une comédie.
❑ d) Un film d'horreur.

5 - Pour notre anniversaire de mariage (ou de rencontre), j'aimerais :
❑ a) Aller au restaurant.
❑ b) Faire un souper romantique à la maison.
☑ c) Passer une folle nuit d'amour dans un grand hôtel.
❑ d) Ne rien faire de spécial.

6 - Ma maison idéale :
☑ a) Serait moderne et fonctionnelle.
❑ b) Serait très luxueuse.
❑ c) Serait une vieille maison chaleureuse.
❑ d) Serait un condominium.

7 - J'aimerais vivre :
❑ a) À la campagne.
❑ b) En plein centre ville.
☑ c) En banlieue.
❑ d) Sur le bord de la mer.

8 - En cuisine, mes préférences vont :
❑ a) Aux plats raffinés.
❑ b) À la cuisine consistante.
☑ c) À la cuisine de ma mère.
❑ d) Je n'aime pas vraiment manger.

9 - Ma musique préférée est :
❑ a) Le rock.
☑ b) Le country.
❑ c) Le classique.
❑ d) Le jazz.

10 - J'aime être habillé :

❑ a) Avec soin.
❑ b) De façon confortable.
❑ c) À la mode.
❑ d) De façon originale.

11 - Je planifie une sortie récréative. Je choisis :

❑ a) La Ronde.
❑ b) Un musée d'ethnographie.
❑ c) Une randonnée pédestre.
❑ d) Un match de football.

12 - Parmi ces sports, je choisis :

❑ a) Le hockey.
❑ b) Le ski.
❑ c) La pêche.
❑ d) La natation.

13 - Dans le journal, je lis surtout :

❑ a) Les faits divers.
❑ b) Les nouvelles internationales.
❑ c) Les nouvelles sportives.
❑ d) Les nouvelles artistiques.

14 - On m'offre une de ces automobiles. Je choisis :

❑ a) Une Corvette.
❑ b) Une Volvo familiale.
❑ c) Une Cadillac.
❑ d) Une Mercedes sport.

15 - J'aime être en compagnie de personnes :

❑ a) Plus jeunes que moi.
❑ b) Du même âge que moi.
❑ c) Plus âgées que moi.
❑ d) Cela n'a aucune importance à mes yeux.

16 - Je choisis :

❑ a) Un restaurant gastronomique.
❑ b) Un café sympathique et pas trop cher.
❑ c) Un steak-house.
❑ d) Un fast-food.

17 - J'aime :

❑ a) Les soirées calmes à la maison.
❑ b) Les partys où ça bouge.
❑ c) Les rencontres mondaines.
❑ d) Les sorties en amoureux.

18 - Je préfère mes vacances :

- ☑ a) À la mer.
- ☐ b) À la montagne.
- ☐ c) À l'étranger.
- ☐ d) À la maison.

19 - Pour moi, la religion :

- ☐ a) Est le centre de ma vie.
- ☐ b) Est une chose relativement importante.
- ☐ c) Ne compte pas vraiment dans ma vie.
- ☑ d) J'ai mon code d'honneur personnel qui me sert de religion.

20 - En voyage, j'aime surtout :

- ☐ a) Visiter.
- ☐ b) Fureter dans les boutiques.
- ☑ c) Rencontrer les gens.
- ☐ d) M'étendre sur une plage et me relaxer.

CALCULEZ LES RÉSULTATS

Pour ce test, la méthode de calcul est la suivante. Prenez chacun vos questionnaires et comparez les réponses. Pour chaque réponse identique, attribuez-vous un point.

Interprétation des résultats

Vous avez obtenu :

• **de 0 à 5 points :**
Vous n'avez vraiment pas beaucoup de goûts en commun. On se demande même comment vous avez fait pour vous rencontrer. Dans votre cas, l'expression «les contraires s'attirent» prend tout son sens. Mais même si vous vous aimez beaucoup, ça ne doit pas être simple tous les jours.

• **de 6 à 11 points :**
Même si vous êtes passablement différents l'un de l'autre, vous devez tout de même relativement bien vous entendre côté «goûts». Vous n'avez peut être pas envie de faire ces choses de la même façon ni aux mêmes moments, mais cela ne doit pas être trop compliqué de vous entendre.

• **de 12 à 16 points :**
Vous voyez sans doute la vie d'un même angle. Le quotidien doit être relativement simple à organiser. Vous avez des différences individuelles, mais vos proches, lorsqu'ils pensent à l'un doivent automatiquement penser à l'autre.

• **de 17 à 20 points :**
Vous êtes certains de ne pas avoir été fabriqués dans le même moule? Ou vous êtes-vous tellement influencés que vous ne faites plus qu'un? Toujours est-il que, dans votre cas, les particularités individuelles semblent ne pas exister. Ce que dit l'un, l'autre aurait pu le dire et vice versa. Et vous n'avez sans doute pas besoin de grandes discussions pour vous comprendre. Souvent, un seul regard doit suffire.

PLUS ON A DE GOÛTS SEMBLABLES, PLUS ON EST HEUREUX?

Pas nécessairement. Plus nos goûts se ressemblent plus on a de chances de s'entendre dans le quotidien. Toutefois, ce n'est pas parce qu'on privilégie le même type d'activités qu'on est nécessairement amoureux l'un de l'autre. Et sans amour, les meilleurs camarades du monde ne peuvent espérer former un couple uni bien bien longtemps.

De plus, on peut très bien aimer tout faire ensemble et avoir d'autres problèmes. Par exemple, la similitude des goûts ne nous protège pas des difficultés sexuelles.

Souvent, les gens que je reçois dans mon bureau s'entendent sur tout ou à peu près sur tout. Ils sont heureux ensemble. La vie de tous les jours est facile. C'est lorsqu'ils arrivent au lit, que rien ne va plus. Il n'est pas rare de voir ces couples attendre très longtemps (cinq, dix, quinze ans) avant de consulter. Ils se disent que le temps va arranger les choses, qu'après tout ce n'est pas si grave, que tout le reste fonctionne bien, etc. Lorsqu'ils se décident à prendre rendez-vous, c'est qu'ils ne savent vraiment plus quoi faire.

De façon générale, on obtient des résultats très satisfaisants avec ces couples. Leur relation debout étant bonne, on peut se concentrer rapidement sur la sexualité. Comme ils se sentent complices l'un de l'autre, ils prennent tous deux la responsabilité du traitement et participent activement à son succès.

Enfin, vous savez, dans un couple, les différences sont nécessaires. Si on partage tout ensemble, après un certain temps, on cesse de s'apporter quoi que ce soit. On a un peu l'impression de se regarder dans un miroir, cela peut être agréable mais, à un moment donné, on a le goût de voir autre chose.

Êtes-vous jaloux?

On associe souvent la jalousie à un défaut. Par exemple, on entend régulièrement des gens dire : «Si l'on se sent sûr de soi, on n'a pas à être jaloux», ou «Être jaloux, c'est être possessif et vouloir emprisonner l'autre», ou encore «Lorsqu'on aime vraiment on n'est pas jaloux». Bref, être jaloux ce n'est pas beau!

Pourtant, la jalousie n'est rien d'autre qu'un sentiment comme la colère, la joie, la tristesse. Tous et toutes, nous pouvons, dans certaines circonstances, vivre ces sentiments. Si nous perdons un être cher, nous serons tristes; si nous gagnons à la loterie, nous laisserons éclater notre joie et si quelqu'un nous apostrophe grossièrement, nous sentirons le moutarde nous monter au nez et nous serons en colère. Personne n'aura l'idée de nous dire : «Quand on trouve la vie belle on n'est jamais triste ou en colère, et lorsqu'on gagne à la loterie on doit agir comme si cela ne nous faisait rien.» Chacun de nous a la capacité d'être tour à tour triste, joyeux, en colère et jaloux[1]. Si je n'ai pas de raison de me sentir jaloux(se), je ne me sentirai pas jaloux(se). Par contre, certains indices ou, carrément, l'infidélité déclarée de mon partenaire peuvent me rendre jaloux(se).

Comme pour la colère ou la tristesse, la jalousie devient un défaut lorsqu'elle est déclenchée sans raison. Ainsi, on peut tous être tristes, mais si on est toujours tristes, on commencera à parler d'état dépressif. Dans ce cas, ce n'est pas la tristesse qui est mise en cause, mais l'excès de tristesse. Il en va de même pour la jalousie. C'est l'excès qui fait le défaut.

---

1. Remarquez que ce ne sont là que quelques-uns des sentiments qui nous habitent. On peut ajouter la peur, la surprise, l'angoisse, l'espoir, l'envie, le dédain, la gratitude, etc.

À un extrême, il y a donc les super-jaloux, et, à l'autre, ceux et celles qui disent ignorer même ce que c'est. Peut-être n'ont-ils jamais eu l'occasion d'expérimenter ce sentiment. Et vous, dans quelle catégorie vous rangez-vous? Le test qui suit vous donnera peut-être une réponse à laquelle vous ne vous attendiez pas.

ÊTES-VOUS JALOUSE?

1 - L'homme de ma vie a un retard de deux heures. Je pense alors :

- ❑ a) C'est bien lui, toujours aussi distrait!
- ■ b) Qu'il a dû avoir un accident.
- ❑ c) Qu'il me manque de respect.
- ❑ d) Qu'il a rencontré une autre femme.

2 - Il me parle d'une nouvelle compagne de travail. Je perçois de l'admiration dans sa voix. Je lui dis :

- ❑ a) C'est ça, tu la trouves plus intéressante que moi.
- ■ b) Tu ne m'en avais jamais parlé. Est-elle là depuis longtemps?
- ❑ c) Quelle est sa formation?
- ❑ d) Chéri, pourrais-tu parler d'autre chose que de ton travail?

3 - J'ai déjà été trompée :

- ❑ a) Je ne le sais pas et ce n'est pas important.
- ❑ b) Non.
- ■ c) Je ne le sais pas et cela me préoccupe.
- ❑ d) Oui.

4 - Pour une rare fois, mon conjoint rentre tard. Il semble avoir pris un verre ou deux. De fait, il me raconte être allé prendre un verre avec les gens du bureau :

- ❑ a) Son heure de rentrée me préoccupe peu.
- ❑ b) Je lui demande s'il a passé une bonne soirée.
- ■ c) Je lui fais remarquer qu'il aurait pu au moins me téléphoner.
- ❑ d) Je lui fais une crise.

5 - Selon moi, les hommes :

- ❑ a) Sont foncièrement infidèles.
- ■ b) Certains sont fidèles, d'autres ne le sont pas, et cela m'inquiète.
- ❑ c) Sont majoritairement fidèles.
- ❑ d) Je n'y ai jamais pensé.

6 - Quand on aime :

- ❑ a) On laisse l'autre libre.
- ❑ b) On doit avoir confiance en l'autre.
- ❑ c) C'est normal d'avoir une certaine jalousie.
- ■ d) On doit s'organiser pour que l'autre ne nous trompe pas. Comme dit le proverbe «mieux vaut prévenir que guérir».

7 - On m'a déjà reproché d'être jalouse :

- ❑ a) Jamais.
- ❑ b) Une ou deux fois.
- ❑ c) Quelquefois.
- ❑ d) Très souvent.

8 - Pour moi, la jalousie :

- ❑ a) Est la preuve qu'on manque de confiance en soi.
- ❑ b) Est un sentiment comme un autre.
- ❑ c) Démontre qu'on a déjà été blessée.
- ❑ d) Est la preuve qu'on aime.

9 - Mon conjoint est policier. Il m'annonce que son nouveau coéquipier est, en fait, une coéquipière. Elle a 24 ans et c'est une jolie femme :

- ❑ a) J'exige qu'il se fasse muter, à défaut de quoi je demande le divorce.
- ❑ b) Au début je suis un peu inquiète, mais je finis par m'habituer.
- ❑ c) Je lui dis que j'aimerais bien faire sa connaissance.
- ❑ d) Je ne porte aucun intérêt au travail de mon conjoint.

10 - En amour, l'idéal pour moi serait :

- ❑ a) Qu'on se donne rendez-vous une fois de temps en temps.
- ❑ b) Qu'on soit ensemble assez souvent, mais qu'on se garde aussi des temps pour soi.
- ❑ c) Qu'on soit ensemble le plus souvent possible.
- ❑ d) Qu'on soit ensemble 24 heures sur 24, 7 jours par semaine.

11 - L'amitié entre hommes et femmes :

- ❑ a) Est une chose à laquelle je ne crois absolument pas.
- ❑ b) Est une chose à laquelle je crois plus ou moins et moins que plus.
- ❑ c) Est une chose possible mais difficile à maintenir au niveau de l'amitié (sans qu'il y ait de sexualité).
- ❑ d) Est une chose à laquelle je crois.

12 - L'amour sans jalousie :

- ❑ a) N'existe pas.
- ❑ b) Est un amour tiède.
- ❑ c) Est bien reposant.
- ❑ d) Est l'idéal.

13 - J'aimerais :

- ❑ a) Que peu de femmes trouvent mon conjoint attirant.
- ❑ b) Que certaines femmes trouvent mon conjoint attirant.
- ❑ c) Que beaucoup de femmes trouvent mon conjoint attirant.
- ❑ d) Mon conjoint est-il ou non attirant pour les autres femmes? Je ne me suis jamais posé la question.

14 - Lorsque nous allons à une rencontre sociale :

- ❑ a) Il faut que mon conjoint reste à mes côtés.
- ❑ b) Je préfère qu'il reste à mes côtés, mais il lui arrive de parler à d'autres gens.
- ■ c) Au début, nous sommes côte à côte. Mais au cours de la soirée, il nous arrive à tous les deux d'aller vers d'autres personnes.
- ❑ d) Nous arrivons ensemble, nous repartons ensemble. Dans l'intervalle, nous sommes chacun de notre côté.

15 - J'ai confiance en mon conjoint :

- ❑ a) Totalement.
- ❑ b) La plupart du temps.
- ■ c) Oui, mais je garde l'oeil ouvert.
- ❑ d) Tant qu'il est à mes côtés.

16 - Je m'installe dans l'automobile. Je perçois l'odeur d'un parfun féminin qui n'est pas le mien. Je pense :

- ❑ a) Quel parfum agréable!
- ❑ b) Il est allé reconduire une collègue de travail.
- ■ c) Il faudra que j'ouvre l'oeil.
- ❑ d) Il a une maîtresse.

17 - Il doit partir en congrès pour deux jours :

- ❑ a) Je passe deux nuits blanches à l'imaginer dans les bras d'une autre.
- ❑ b) Je m'ennuie et j'ai hâte qu'il revienne.
- ■ c) J'ai de la difficulté à m'endormir car je ne suis plus habituée à passer mes nuits seule.
- ❑ d) Je m'endors comme une bûche.

18 - En général, lorsque j'ai quelque chose :

- ❑ a) J'ai toujours peur de le perdre.
- ❑ b) Je tiens à le garder.
- ■ c) J'y tiens, mais je sais que je peux le perdre.
- ❑ d) Je ne tiens pas aux choses matérielles.

19 - Si ce cercle O c'est moi, et que cet autre cercle O c'est moi conjoint, notre couple devrait ressembler à :

- ❑ a) OO
- ❑ b) OO
- ❑ c) OO
- ■ d) OO

20 - Quand on aime certans disent qu'on ne doit rien se cacher. Je suis :

- ■ a) Tout à fait d'accord avec cette affirmation.

❑ b) En accord bien que je ne croie pas qu'il soit physiquement possible de tout se dire.
❑ c) Modérément en accord. Il faut savoir se garder un petit jardin secret.
❑ d) En désaccord. Ce qui compte c'est le mystère.

❦❦❦

ÊTES-VOUS JALOUX?

1 - La femme de ma vie a un retard de deux heures. Je pense alors :
❑ a) C'est bien elle, toujours aussi distraite!
❑ b) Elle a dû avoir un accident.
❑ c) Elle me manque de respect.
❑ d) Elle a rencontré un autre homme.

2 - Elle me parle d'un nouveau compagnon de travail. Je perçois de l'admiration dans sa voix. Je lui dis :
❑ a) C'est ça, tu le trouves plus intéressant que moi.
❑ b) Tu ne m'en avais jamais parlé. Est-il là depuis longtemps?
❑ c) Quelle est sa formation?
❑ d) Chérie, pourrais-tu parler d'autre chose que de ton travail?

3 - J'ai déjà été trompé :
❑ a) Je ne le sais pas et ce n'est pas important.
❑ b) Non.
❑ c) Je ne le sais pas et cela me préoccupe.
❑ d) Oui.

4 - Pour une rare fois, ma conjointe rentre tard. Elle semble avoir pris un verre ou deux. De fait, elle me raconte être allée prendre un verre avec les gens du bureau :.
❑ a) Son heure de rentrée me préoccupe peu.
❑ b) Je lui demande si elle a passé une bonne soirée.
❑ c) Je lui fais remarquer qu'elle aurait pu au moins me téléphoner.
❑ d) Je lui fais une crise.

5 - Selon moi, les femmes :
❑ a) Sont foncièrement infidèles.

- ☑ b) Certaines sont fidèles, d'autres ne le sont pas et cela m'inquiète.
- ☐ c) Sont majoritairement fidèles.
- ☐ d) Je n'y ai jamais pensé.

6 - Quand on aime :
- ☐ a) On laisse l'autre libre.
- ☐ b) On doit avoir confiance en l'autre.
- ☑ c) C'est normal d'avoir une certaine jalousie.
- ☐ d) On doit s'organiser pour que l'autre ne nous trompe pas. Comme dit le proverbe «mieux vaut prévenir que guérir».

7 - On m'a déjà reproché d'être jaloux :
- ☐ a) Jamais.
- ☑ b) Une ou deux fois.
- ☐ c) Quelquefois.
- ☐ d) Très souvent.

8 - Pour moi, la jalousie :
- ☐ a) Est la preuve qu'on manque de confiance en soi.
- ☐ b) Démontre qu'on a déjà été blessé.
- ☑ c) Est un sentiment comme un autre.
- ☐ d) Est la preuve qu'on aime.

9 - Ma conjointe est avocate. Son nouvel associé est un homme particulièrement séduisant, à la réputation de playboy :
- ☐ a) J'exige qu'elle change d'associé, à défaut de quoi je demande le divorce.
- ☑ b) Au début je suis un peu inquiet, mais je finis par m'habituer.
- ☐ c) Je lui dis que j'aimerais bien faire sa connaissance.
- ☐ d) Je ne porte aucun intérêt au travail de ma conjointe.

10 - En amour, l'idéal pour moi serait :
- ☐ a) Qu'on se donne rendez-vous une fois de temps en temps.
- ☑ b) Qu'on soit ensemble assez souvent, mais qu'on se garde aussi du temps pour soi.
- ☐ c) Qu'on soit ensemble le plus souvent possible.
- ☐ d) Qu'on soit ensemble 24 heures sur 24, 7 jours par semaine.

11 - L'amitié entre hommes et femmes :
- ☐ a) Est une chose à laquelle je ne crois absolument pas.
- ☐ b) Est une chose à laquelle je crois plus ou moins et moins que plus.
- ☑ c) Est une chose possible mais difficile à maintenir au niveau de l'amitié (sans qu'il y ait de sexualité).
- ☐ d) Est une chose à laquelle je crois.

12 - L'amour sans jalousie :
- ☑ a) N'existe pas.
- ❑ b) Est un amour tiède.
- ❑ c) Est bien reposant.
- ❑ d) Est l'idéal.

13 - J'aimerais :
- ❑ a) Que peu d'hommes trouvent ma conjointe attirante.
- ❑ b) Que certains hommes trouvent ma conjointe attirante.
- ❑ c) Que beaucoup d'hommes trouvent ma conjointe attirante.
- ☑ d) Ma conjointe est-elle ou non attirante pour les autres hommes? Je ne me suis jamais posé la question.

14 - Lorsque nous allons à une rencontre sociale :
- ❑ a) Il faut que ma conjointe reste à mes côtés.
- ❑ b) Je préfère qu'elle reste à mes côtés, mais il lui arrive de parler à d'autres gens.
- ❑ c) Au début, nous sommes côte à côte. Mais au cours de la soirée, il nous arrive à tous les deux d'aller vers d'autres personnes.
- ☑ d) Nous arrivons ensemble, nous repartons ensemble. Dans l'intervalle, nous sommes chacun de notre côté.

15 - J'ai confiance en ma conjointe :
- ☑ a) Totalement.
- ❑ b) La plupart du temps.
- ❑ c) Oui, mais je garde l'oeil ouvert.
- ❑ d) Tant qu'elle est à mes côtés.

16 - Je m'installe dans l'automobile. Je trouve des gants d'hommes qui ne sont pas les miens. Je pense :
- ❑ a) Ce sont des gants de qualité.
- ☑ b) Elle est allée reconduire un collègue de travail.
- ❑ c) Il faudra que j'ouvre l'oeil.
- ❑ d) Elle a un amant.

17 - Elle doit partir en congrès pour deux jours :
- ❑ a) Je passe deux nuits blanches à l'imaginer dans les bras d'une autre.
- ❑ b) Je m'ennuie et j'ai hâte qu'elle revienne.
- ☑ c) J'ai de la difficulté à m'endormir car je ne suis plus habitué à passer mes nuits seul.
- ❑ d) Je m'endors comme une bûche.

18 - En général, lorsque j'ai quelque chose :
- ❑ a) J'ai toujours peur de le perdre.
- ☑ b) Je tiens à le garder.

- ❑ c) J'y tiens mais je sais que je peux le perdre.
- ❑ d) Je ne tiens pas aux choses matérielles.

19 - Si ce cercle O c'est moi, et que cet autre cercle O c'est ma conjointe, notre couple devrait ressembler à :

- ❑ a) OO
- ❑ b) OO
- ❑ c) OO
- ☑ d) OO

20 - Quand on aime, certains disent qu'on ne doit rien se cacher. Je suis :

- ❑ a) Tout à fait d'accord avec cette affirmation.
- ❑ b) En accord, bien que je ne croie pas qu'il soit physiquement possible de tout se dire.
- ☑ c) Modérément en accord. Il faut savoir garder un petit jardin secret.
- ❑ d) En désaccord. Ce qui compte, c'est le mystère.

CALCULEZ VOTRE RÉSULTAT

Pour les questions
1-3-4-6-7-8-10-15-16-19,
si vous avez répondu

A	vous vous attribuez	1 point.
B	vous vous attribuez	2 points.
C	vous vous attribuez	3 points.
D	vous vous attribuez	4 points.

Pour les questions
2-5-9-11-12-13-14-17-18-20,
si vous avez répondu

A	vous vous attribuez	4 points.
B	vous vous attribuez	3 points.
C	vous vous attribuez	2 points.
D	vous vous attribuez	1 point.

Vous faites le total. Examinons maintenant ce que cela donne.

De 20 à 30 points
Dans votre cas, on se demande si c'est l'absence de jalousie ou l'indifférence qui motive votre attitude. Vous ne semblez vraiment pas préoccupé(e) par ce que fait ou ne fait pas votre conjoint(e). Vous êtes-vous questionné(e) dernièrement sur les sentiments qui vous animaient à son égard? Ce ne serait pas une mauvaise idée de le faire.

De 31 à 45 points
Vous n'êtes pas du type jaloux. Vous vous intéressez aux activités de votre conjoint(e) sans pour cela devenir indiscret ou possessif(ve). Vous comprenez qu'il ou elle a besoin, tout comme vous, de garder quelques petits mystères. Vous pourriez devenir jaloux(se), mais il faudrait vraiment qu'il y ait des raisons suffisantes et bien réelles de soupçonner votre partenaire.

De 46 à 60 points
Vous avez confiance en lui ou en elle, mais vous ne lui donneriez pas le bon Dieu sans confession. Cocu content, très peu pour vous. Vous avez la jalousie relativement facile. Vous n'irez pas imaginer le pire pour rien, mais vous êtes à l'affût. Votre devise pourrait bien être : je n'ai pas peur, mais vaut mieux prévenir que guérir.

De 61 à 70 points
Vous, vous êtes jaloux(se). Vous ne vous en cachez pas et la jalousie fait partie de votre amour. Après tout, si vous ne l'aimiez pas, vous ne tiendriez pas autant à lui ou à elle. Votre désir de

garder l'autre pour vous peut cependant devenir étouffant pour le partenaire. Il ou elle peut vous reprocher de ne pas lui laisser assez d'air pour respirer. Faites attention à vos déductions. Elles peuvent parfois être trop hâtives.

De 71 à 80 points
Il est temps que vous réagissiez. Votre jalousie doit vous rendre et lui rendre la vie infernale. On ne peut vivre ainsi dans la certitude constante d'être berné(e). Que l'être aimé ait été ou non infidèle, là n'est pas la question. Ce n'est pas seulement en lui ou en elle que vous manquez de confiance, c'est aussi et surtout en vous, et je ne suis sans doute pas la première à vous le dire. Peut-être vous sentez-vous incapable de vous raisonner. Dans ce cas, j'ai une suggestion à vous faire : allez chercher de l'aide auprès d'un sexologue ou d'un psychologue. Cela vous aidera à mieux comprendre ce qui se passe en vous et à pouvoir mieux le contrôler. Rappelez-vous, ce n'est qu'une suggestion, c'est vous qui avez le dernier mot.

VIVRE AVEC UNE PERSONNE JALOUSE

Une des situations les plus difficiles à surmonter est sans doute de partager sa vie avec une personne à la jalousie maladive. On a beau tout essayer pour le ou la raisonner, lui donner tous les outils pour se rassurer, lui faire un compte rendu exact et détaillé de nos activités de la journée, rien ne semble venir à bout de sa suspicion. La personne hyper-jalouse se pose en juge et partie et interprète les moindres incidents comme une preuve irréfutable de notre infidélité à son égard.

En général, si l'on n'est pas vraiment en amour avec cette personne, la relation ne peut guère durer. Là ou cela se corse, c'est lorsqu'on l'aime d'un véritable amour. S'il n'y avait cette jalousie maladive, comme il ou elle serait l'être le plus merveilleux de la terre! Mais cette jalousie gâche tout.

S'il n'y a pas de truc miracle pour régler le problème, par contre vous pouvez adopter certaines attitudes pour vous protéger. Tout en rassurant l'autre de votre amour, refusez désormais de vous prêter à son enquête policière. Parlez-lui de ce que vous avez fait, de ce que vous avez ressenti, mais n'entrez pas (à moins que cela ne vous tente) dans les moindres détails. Il ou elle n'aimera pas cela c'est certain. Mais expliquez-lui que vous n'avez plus le goût de vous prêter à ses interrogatoires. Faites-lui bien comprendre que vous êtes fidèle mais que vous êtes fatigué d'avoir à en donner la preuve quotidienne. Montrez-vous chaleureux(se) mais ferme dans vos propos.

Bien sûr, cette conversation n'apaisera pas sa jalousie. Par contre, elle vous mettra en position pour exiger d'aller chercher de l'aide ensemble auprès d'un thérapeute conjugal. Comprenez-moi bien : même si la jalousie maladive est l'affaire de l'autre, c'est votre couple qui a un sérieux problème. Et dans un cas comme celui-ci, l'intervention d'une personne neutre s'avérera probablement essentielle.

P.S. Certaines personnes jalouses peuvent devenir violentes physiquement. Si vous craignez pour votre intégrité physique, de grâce pensez d'abord à vous. Ne restez pas là. Allez chercher de l'aide et occupez-vous d'abord de vous protéger.

Êtes-vous séducteur?

Certains le sont, d'autres pas. Ce qui différencie les premiers des seconds? Une attitude, une façon d'être. Les séducteurs et les séductrices ne sont pas nécessairement plus beaux, plus riches ou plus intelligents, mais ils ont l'art d'attirer les autres vers eux. Ce sont des conquérants du coeur.

S'il n'est pas donné à tous d'avoir un tel charisme, par contre il est parfois nécessaire de savoir séduire. Pour décrocher un emploi, pour plaire à l'élu de notre coeur, pour nous faire accepter dans un nouveau voisinage, nous devons faire appel à la séduction[1].

Malheureusement, trop souvent, lorsqu'on a obtenu ce qu'on voulait, on devient paresseux. Côté amoureux, on cesse peu à peu de séduire parce qu'on n'en ressent plus le besoin. À partir du moment où l'on se marie ou, plus simplement, où l'on partage le même toit, on a l'impression que l'autre nous est acquis. On n'a plus à lui dire qu'on l'aime puisque, de toutes façons, on le lui a déjà dit et qu'il ou elle est censé le savoir. Ou encore, pourquoi se faire beau ou belle pour l'autre alors que, de toutes façons, il ou elle connaît nos petites imperfections? C'est de cette façon qu'au fil des ans le mot «séduction» sort de notre vie.

Cela demande sans doute moins d'énergie que de continuer de se séduire l'un l'autre, mais cela devient aussi plus ennuyeux et moins amusant.

Êtes-vous un séducteur, une séductrice? L'avez-vous déjà été et vous avez cessé de l'être? Le mot «séduction» signifie-t-il encore quelque chose pour vous? Ce test vous permettra d'en savoir un peu plus.

---

1. Un instant! Je n'ai pas parlé de manipulation. Bien sûr, certains grands séducteurs sont de grands manipulateurs, mais ce n'est pas parce qu'on cherche à plaire qu'on manipule.

ÊTES-VOUS SÉDUCTRICE?

1 - Lorsque je rencontre un homme :
- [x] a) Je lui dis bonjour comme je le ferais avec une femme.
- [ ] b) Je l'examine des pieds à la tête.
- [ ] c) Je lui souris en espérant qu'il fasse de même.
- [ ] d) Je préférerais me retrouver sur un iceberg en compagnie d'un ours polaire.

2 - Dans les réunions sociales :
- [x] a) Je préfère parler avec les gens que je connais.
- [ ] b) J'essaie de rencontrer le plus de gens possible.
- [ ] c) Je cherche immédiatement un homme avec qui passer la soirée.
- [ ] d) Je déteste les réunions sociales!

3 - À mon travail, j'ai la réputation d'être :
- [x] a) Une travailleuse.
- [ ] b) Une farceuse.
- [ ] c) Une aguicheuse.
- [ ] d) Une solitaire.

N.B. Si vous ne travaillez pas présentement à l'extérieur, pensez à une expérience de travail passée.

4 - Si l'on me donnait la possibilité de vivre 24 heures dans la peau d'un personnage célèbre, je choisirais :
- [ ] a) Elizabeth II.
- [x] b) Marie Curie.
- [ ] c) Marilyn Monroe.
- [ ] d) La fée Carabosse.

5 - Si je veux séduire mon homme je lui dis :
- [x] a) J'ai le goût de faire l'amour.
- [ ] b) Je ne lui dis rien mais je porte des sous-vêtements sexy.
- [ ] c) Je lui dis que je me suis faite belle pour lui et que je meurs d'envie de sentir son corps contre le mien.
- [ ] d) Je ne lui dis rien et je me couche nue. Habituellement, il saisit le message.

6 - J'offre un cadeau à mon homme :
- [ ] a) Pour me faire pardonner.

- [x] b) Aux occasions spéciales (anniversaires, Noël, fête des Pères, etc.).
- [ ] c) Au moins une fois par mois, pour lui dire que je pense à lui.
- [ ] d) Son cadeau, c'est moi.

7 - Un homme m'invite à sortir et me laisse le choix de l'activité. Je décide de l'emmener :

- [x] a) Dans un restaurant romantique, parce que j'aime ça.
- [ ] b) Au cinéma voir un film qui l'intéresse.
- [ ] c) S'il est amateur de sports, au baseball; s'il est mélomane, au concert.
- [ ] d) Chez ma mère.

8 - Lorsque je parle à un homme, je regarde :

- [ ] a) Ses vêtements.
- [x] b) Son allure générale.
- [ ] c) Ses yeux.
- [ ] d) Je suis trop nerveuse, je ne le vois pas.

9 - Vis-à-vis des hommes, je me sens :

- [x] a) Un peu timide.
- [ ] b) À l'aise.
- [ ] c) Conquérante.
- [ ] d) Où est la sortie?

10 - Dans un party :

- [x] a) Je reste dans mon coin.
- [ ] b) Je suis le boute-en-train qui fait rigoler tout le monde.
- [ ] c) J'aime avoir du plaisir sans trop me faire remarquer.
- [ ] d) Je ne vais jamais dans les partys.

11 - Physiquement, on dit de moi que :

- [ ] a) Je ne suis peut-être pas belle mais j'ai du style.
- [x] b) Je suis assez bien de ma personne.
- [ ] c) Je suis très belle.
- [ ] d) Je ne suis vraiment pas gâtée par la nature.

12 - Les hommes m'invitent à danser :

- [ ] a) Rarement.
- [x] b) Quelquefois.
- [ ] c) Souvent.
- [ ] d) Jamais.

13 - La plupart des hommes sont :

- [ ] a) Indifférents avec moi.
- [x] b) Gentils avec moi.
- [ ] c) Fous de moi.
- [ ] d) Agressifs avec moi.

14 - Si un homme que je flirte ne répond pas à mes attentes :

- ❑ a) Je me sens choquée et frustrée.
- ❑ b) Je comprends que je ne puisse plaire à tous les hommes.
- ❑ c) J'essaie de m'y prendre d'une autre manière.
- ■ d) Je ne flirte jamais.

15 - Si je rencontre un homme, j'essaie de connaître :

- ■ a) Ce qu'il fait dans la vie.
- ❑ b) S'il est disponible.
- ❑ c) Ses goûts.
- ❑ d) S'il est riche.

16 - Entre ces affirmations, je choisis :

- ■ a) Les hommes pensent d'abord au sexe.
- ❑ b) Les hommes sont difficiles à comprendre.
- ❑ c) Les hommes ne sont pas toujours sûrs d'eux.
- ❑ d) Les hommes n'aiment que les femmes à gros seins.

17 - Ce qui séduit chez moi, c'est :

- ❑ a) Mon physique.
- ❑ b) Mon intelligence.
- ■ c) Ma personnalité.
- ❑ d) Mon portefeuille.

18 - Mon homme :

- ❑ a) Trouve que j'ai engraissé ces dernières années.
- ■ b) Ne me dit rien mais semble me trouver à son goût.
- ❑ c) Dit régulièrement que je suis belle et gentille.
- ❑ d) Me reproche mon manque d'hygiène corporelle.

19 - Pour moi, séduire :

- ❑ a) C'est une corvée.
- ■ b) C'est un moyen d'arriver à ses fins.
- ❑ c) C'est un plaisir.
- ❑ d) C'est un péché.

20 - Dans notre couple, la séduction :

- ❑ a) Est quelque chose qu'on tente de réapprendre.
- ■ b) Est encore présente, mais un peu moins qu'avant.
- ❑ c) Fait partie de notre quotidien.
- ❑ d) N'existe plus.

ÊTES-VOUS SÉDUCTEUR?

1 - Lorsque je rencontre une femme :

☐ a) Je lui dis bonjour comme je le ferais avec un homme.
☑ b) Je l'examine des pieds à la tête.
☐ c) Je lui souris en espérant qu'elle fasse de même.
☐ d) Je préférerais me retrouver sur un iceberg en compagnie d'un ours polaire.

2 - Dans les réunions sociales :

☑ a) Je préfère parler avec les gens que je connais.
☐ b) J'essaie de rencontrer le plus de gens possible.
☐ c) Je cherche immédiatement une femme avec qui passer la soirée.
☐ d) Je déteste les réunions sociales!

3 - À mon travail, j'ai la réputation d'être :

☑ a) Un travailleur.
☐ b) Un farceur.
☐ c) Un playboy.
☐ d) Un solitaire.

N.B. Si vous ne travaillez pas présentement à l'extérieur, pensez à une expérience de travail passée.

4 - Si l'on me donnait la possibilité de vivre 24 heures dans la peau d'un personnage célèbre, je choisirais :

☑ a) Rockefeller.
☐ b) Louis Pasteur.
☐ c) Alain Delon.
☐ d) Le bossu de Notre-Dame.

5 - Si je veux séduire ma compagne je lui dis :

☐ a) T'as les plus belles fesses de la terre.
☐ b) Je ne lui dis rien. Je m'approche d'elle et je l'embrasse tendrement dans le cou.
☐ c) Je lui dis qu'elle est la femme la plus séduisante que je connaisse.
☑ d) J'ai le goût de faire l'amour, est-ce que ça te tente?

6 - J'offre un cadeau à ma compagne :

☐ a) Pour me faire pardonner.

- ☑ b) Aux occasions spéciales (anniversaires, Noël, fêtes des Mères, Saint-Valentin, etc.).
- ❑ c) Au moins une fois par mois, pour lui dire que je pense à elle.
- ❑ d) Son cadeau, c'est moi.

7 - Lorsque j'invite une femme, je l'emmène :

- ❑ a) Au baseball parce que j'aime ça.
- ☑ b) Au cinéma voir un film qui l'intéresse.
- ❑ c) Dans un restaurant romantique.
- ❑ d) Chez ma mère.

8 - Lorsque je parle à une femme, je regarde :

- ❑ a) Ses seins.
- ☑ b) Son allure générale.
- ❑ c) Ses yeux.
- ❑ d) Je suis trop nerveux, je ne la vois pas.

9 - Vis-à-vis des femmes, je me sens :

- ☑ a) Un peu timide.
- ❑ b) À l'aise.
- ❑ c) Conquérant.
- ❑ d) Où est la sortie?

10 - Dans un party :

- ❑ a) Je reste dans mon coin.
- ❑ b) Je suis le boute-en-train qui fait rigoler tout le monde.
- ☑ c) J'aime avoir du plaisir sans trop me faire remarquer.
- ❑ d) Je ne vais jamais dans les partys.

11 - Physiquement, on dit de moi que :

- ☑ a) Je ne suis peut-être pas beau mais j'ai du style.
- ❑ b) Je suis assez bien de ma personne.
- ❑ c) Je suis très beau.
- ❑ d) Je ne suis vraiment pas gâté par la nature.

12 - Si j'invite une femme à danser, elle accepte :

- ❑ a) Rarement.
- ❑ b) Quelquefois.
- ❑ c) Souvent .
- ☑ d) Je n'invite jamais une femme à danser.

13 - La plupart des femmes sont :

- ❑ a) Indifférentes avec moi.
- ☑ b) Gentilles avec moi.
- ❑ c) Folles de moi.
- ❑ d) Agressives avec moi.

14 - Si je flirte une femme et qu'elle ne répond pas à mes attentes :
- ❑ a) Je me sens choqué et frustré.
- ☑ b) Je comprends que je ne puisse plaire à toutes les femmes.
- ❑ c) J'essaie de m'y prendre d'une autre manière.
- ❑ d) Je ne flirte jamais.

15 - Si je rencontre une femme, j'essaie de connaître :
- ☑ a) Ce qu'elle fait dans la vie.
- ❑ b) Si elle est disponible.
- ❑ c) Ses goûts.
- ❑ d) Ses mensurations.

16 - Entre ces quatre affirmations, je choisis :
- ☑ a) Les femmes cherchent d'abord la sécurité financière.
- ❑ b) Les femmes sont compliquées.
- ❑ c) Les femmes sont romantiques.
- ❑ d) Les femmes désirent les hommes avec un gros pénis.

17 - Ce qui séduit chez moi, c'est :
- ❑ a) Mon physique.
- ❑ b) Mon intelligence.
- ❑ c) Ma personnalité.
- ☑ d) Mon portefeuille.

18 - Ma compagne :
- ❑ a) Trouve que j'ai engraissé ces dernières années.
- ☑ b) Ne me dit rien mais semble me trouver à son goût.
- ❑ c) Dit régulièrement que je suis beau et gentil.
- ❑ d) Me reproche mon manque d'hygiène corporelle.

19 - Pour moi séduire :
- ❑ a) C'est une corvée.
- ❑ b) C'est un moyen d'arriver à ses fins.
- ☑ c) C'est un plaisir.
- ❑ d) C'est un péché.

20 - Dans notre couple, la séduction :
- ❑ a) Est quelque chose qu'on tente de réapprendre.
- ❑ b) Est encore présente, mais un peu moins qu'avant.
- ☑ c) Fait partie de notre quotidien.
- ❑ d) N'existe plus.

CALCULEZ VOS RÉSULTATS

Pour chaque A, vous vous attribuez 1 point.
Pour chaque B, vous vous attribuez 2 points.
Pour chaque C, vous vous attribuez 3 points.
Pour chaque D, vous vous attribuez 0 point.

INTERPRÉTATION DES RÉSULTATS

Vous avez obtenu :

- Entre 0 et 15 points :
La séduction, ce n'est vraiment pas votre point fort. Se pourrait-il que vous n'ayez pas une très bonne opinion de vous-même? Vous savez, séduire, c'est un peu, beaucoup savoir se vendre. Et pour bien se vendre, il faut croire en son produit. Ce qui ne semble pas être votre cas.

- Entre 16 et 30 points :
Vous n'êtes pas un séducteur né. Vous vous sentez sans doute timide dans vos tentatives de séduction. Vous préféreriez peut-être que l'autre vienne à vous. Par contre, s'il ou elle ne le fait pas, vous êtes capable de prendre les devants. Sans que vous le sachiez, votre malaise et(ou) votre maladresse, font sûrement partie de votre charme.

- Entre 31 et 45 points :
Vous aimez séduire et vous devez être relativement habile en la matière. Cependant, il faut que cela vous tente. La séduction n'est pas une fin en soi. Pour avoir envie de séduire vous devez d'abord vous sentir attiré par la personne que vous voulez conquérir. Vous ne réussissez pas à tout coup, mais votre moyenne doit être assez bonne.

- Entre 46 et 60 points :
C'est bien beau de vouloir plaire, mais n'avez-vous pas parfois l'impression d'exagérer? La vie n'est pas qu'un grand jeu de séduction. Votre désir de conquête vous empêche probablement d'approfondir vos relations. Vous semblez être en chasse perpétuelle. Il serait peut-être temps pour vous de faire ce que les confesseurs d'antan appelaient un examen de conscience.

VIVRE AVEC UN SÉDUCTEUR OU UNE SÉDUCTRICE

Par définition, le séducteur est charmant. Mais lorsqu'on partage sa vie, ça devient aussi insécurisant. Le conjoint étant toujours à l'affût d'une nouvelle conquête, on n'est jamais sûr de ses sentiments à notre égard. Est-il ou non fidèle? On ne saurait le dire. Par contre, il est clair qu'il cherche constamment à plaire. Autant il met d'énergie à séduire une nouvelle connaissance, autant il la délaisse s'il la sent trop acquise. Et il repart à la chasse.

Il est difficile de s'abandonner complètement avec ce type de conjoint. Si on veut le garder, on ne peut se laisser aller. Il ne doit jamais sentir qu'il nous a complètement conquise. Cela peut être un jeu intéressant mais, à la longue, cela peut devenir épuisant.

Il faut savoir se protéger sur ce point. Il est un playboy incorrigible, elle est une Mata-Hari des coeurs, on le sait. Si on ne l'aimait pas, il n'y aurait pas de problème. Mais on l'aime. On peut, comme certains, décider de lui servir sa propre médecine et essayer de la ou le rendre jaloux. En général, cela nous rend mal à l'aise et ne fonctionne pas vraiment. Mais on peut aussi décider de rester soi-même, s'affirmer et exprimer à l'autre ses besoins personnels. «Je t'aime et quand tu flirtes une autre femme, j'ai mal» ou «Je sais que les autres hommes te trouvent belle. C'est vrai que tu es belle et désirable. Dans les partys, j'ai souvent l'impression que tu joues avec ça. Et je souffre.» L'autre peut nier qu'il est un séducteur invétéré, mais il ne peut nier notre souffrance. S'il nous aime comme il le dit, il devrait en tenir compte. Sinon, au moins on sera fixé.

Êtes-vous du type fidèle ou infidèle?

Attention! Ce test ne cherche pas à savoir si vous avez une maîtresse ou un amant. De toute façon, si je vous le demandais, me répondriez-vous franchement[1] surtout si vous savez que votre «légitime» aura accès à la réponse? Il faut être un peu plus réaliste dans la vie.

S'il n'est pas possible de prévoir la fidélité ou l'infidélité de notre conjoint, par contre, il peut être intéressant de connaître nos profils de fidélité. En effet, pour certains d'entre nous, être fidèles, ça va de soi, c'est naturel. Leur devise pourrait être : «J'aime et je ne regarde pas ailleurs.» Pour d'autres, c'est tout le contraire. L'amour conjugal ne suffit pas. Il faut qu'il y ait quelques, ou plusieurs petits extra. Ces personnes vous diront même qu'elles ont besoin d'aller ailleurs pour apprécier ce qu'elles ont à la maison. Entre ces deux extrêmes, il y a tous les autres, plus ou moins fidèles, selon le temps et les circonstances. Où vous situez-vous? Répondez aux 15 questions qui suivent. On se retrouve tout de suite après.

---

1. Un sondage Léger et Léger effectué en 1990 révèle que 19,7 p. cent des Québécois et 9,5 p. cent des Québécoises auraient été infidèles. Croyez-vous que tous et toutes ont dit la vérité? Léger, J.M., Léger, M., *Le Québec en question*, Québecor, Montréal, 1990, p. 45.

ÊTES-VOUS DU TYPE FIDÈLE OU INFIDÈLE? (MADAME)

1 - Pour moi les autres hommes :

- a) N'existent pas.
- b) Peuvent être attirants mais mon homme les surpasse tous.
- c) Peuvent être plus désirables que mon compagnon.
- d) Je ne résiste pas à un bel homme.

2 - Une camarade de travail me dit : «Tu sais, être fidèle c'est bien beau à dire mais l'occasion fait le larron.» Je lui réponds :

- a) Quelle occasion?
- b) Écoute, ce n'est pas parce qu'il y a une occasion que tu dois sauter dessus.
- c) T'as bien raison.
- d) On peut faire plus, on peut se les créer les occasions.

3 - Certains prétendent que les femmes finissent toutes par être infidèles :

- a) Je ne suis pas du tout d'accord.
- b) Ce serait à discuter.
- c) C'est vrai pour un certain nombre de femmes.
- d) C'est vrai.

4 - Si elle est en amour, une femme peut être fidèle :

- a) Toute sa vie.
- b) Durant les premières années de la relation.
- c) Durant les premièrs mois, le temps que la passion faiblisse.
- d) Les premières semaines.

5 - Dans mes relations précédentes[1], j'ai déjà été infidèle :

- a) Je n'ai jamais été infidèle.
- b) Une fois.
- c) Quelquefois.
- d) Plusieurs fois.

1. Si vous n'avez jamais eu d'autres relations, vous répondez a).

6 - Pour moi, les femmes qui ont un ou des amants :
- ☑ a) Sont déloyales envers leur conjoint.
- ☐ b) Font exprès pour se compliquer la vie, et je ne les envie pas.
- ☐ c) Se compliquent un peu la vie, mais sont bien chanceuses.
- ☐ d) Sont bien chanceuses.

7 - Si une femme est infidèle, elle doit :
- ☑ a) Tout avouer, demander pardon et promettre de ne pas recommencer.
- ☐ b) Se taire et vivre sa culpabilité en silence.
- ☐ c) Tout avouer pour se libérer de sa culpabilité.
- ☐ d) S'arranger pour ne pas se faire prendre.

8 - Dans un party, si je suis seule :
- ☑ a) J'ai hâte de retrouver mon homme à la maison.
- ☐ b) Je socialise et j'essaie d'avoir le plus de plaisir possible.
- ☐ c) Si un homme m'intéresse, j'essaie de mieux le connaître, on ne sait jamais...
- ☐ d) J'enlève mon alliance et je pars à la chasse.

9 - Une femme infidèle c'est une femme :
- ☐ a) Qui a déjà pensé à tromper son homme.
- ☐ b) Qui a déjà trompé son homme.
- ☐ c) Qui le trompe à l'occasion.
- ☑ d) Qui trompe son homme régulièrement.

10 - On pense souvent que plus une femme à une allure sexy, plus elle est volage. Ce que j'en pense :
- ☐ a) Ces femmes ne sont pas correctes.
- ☑ b) Je ne crois pas qu'il faille généraliser. Une femme peut être sexy et fidèle.
- ☐ c) Quand on a le physique, pourquoi pas?
- ☐ d) Je suis sexy et j'en profite.

11 - Lorsqu'une femme est infidèle, cela signifie :
- ☑ a) Qu'elle n'aime pas son conjoint.
- ☐ b) Que quelque chose ne va pas dans le couple.
- ☐ c) Que son conjoint ne la satisfait pas.
- ☐ d) Qu'elle est une femme.

12 - Si je revenais sur terre, je voudrais être :
- ☐ a) Mère Théresa.
- ☑ b) Margaret Thatcher.
- ☐ c) Sophia Loren.
- ☐ d) Madonna.

13 - Certaines infidèles se justifient en disant qu'il s'agit d'un passe-temps qui leur sert justement à passer le temps, puisque leur légitime est toujours absent. Ma réaction :

- ☑ a) Elles essaient de se justifier, mais une infidélité reste une infidélité.
- ☐ b) Pour certaines cela peut s'avérer juste. Mais elles sont tout de même infidèles.
- ☐ c) Tant qu'elles ne se font pas prendre, tant mieux pour elles.
- ☐ d) Elles ont raison.

14 - Mon compagnon :

- ☐ a) M'excite comme au premier jour.
- ☑ b) M'excite mais ce n'est plus tout à fait comme avant.
- ☐ c) M'excite beaucoup moins qu'avant.
- ☐ d) Je ne le remarque plus.

15 - Selon moi, l'homme trompé :

- ☑ a) Est en droit de demander le divorce.
- ☐ b) Est à plaindre.
- ☐ c) Tant qu'il ne le sait pas, cela ne lui fait pas mal.
- ☐ d) A généralement couru après son malheur.

❦❦❦

ÊTES-VOUS DU TYPE FIDÈLE OU INFIDÈLE? (MONSIEUR)

1 - Pour moi les autres femmes :

- ☐ a) N'existent pas.
- ☐ b) Peuvent être attirantes mais ma compagne les surpasse toutes.
- ☑ c) Peuvent être plus désirables que ma compagne.
- ☐ d) Je ne résiste pas à une belle femme.

2 - Une camarade de travail me dit : «Tu sais, mon vieux, être fidèle c'est bien beau à dire mais l'occasion fait le larron.» Je lui réponds :

- ☐ a) Quelle occasion?
- ☑ b) Écoute, ce n'est pas parce qu'une occasion se présente que tu dois sauter dessus.

- ❑ c) T'as bien raison.
- ❑ d) On peut faire plus, on peut se les créer les occasions.

3 - Certains prétendent que les hommes seraient génétiquement infidèles :

- ❑ a) Je ne suis pas du tout d'accord.
- ❑ b) Ce serait à discuter.
- ❑ c) C'est vrai pour un certain nombre d'hommes.
- ❑ d) C'est vrai.

4 - S'il est en amour, un homme peut être fidèle :

- ❑ a) Toute sa vie.
- ❑ b) Durant les premières années de la relation.
- ❑ c) Durant les premiers mois, le temps que la passion faiblisse.
- ❑ d) Les premières semaines.

5 - Dans mes relations précédentes[1], j'ai déjà été infidèle :

- ❑ a) Je n'ai jamais été infidèle.
- ❑ b) Une fois.
- ❑ c) Quelquefois.
- ❑ d) Plusieurs fois.

6 - Pour moi, les hommes qui ont une ou des maîtresses :

- ❑ a) Sont déloyales envers leur conjointe.
- ❑ b) Font exprès pour se compliquer la vie, et je ne les envie pas.
- ❑ c) Se compliquent un peu la vie, mais sont bien chanceux.
- ❑ d) Sont bien chanceux.

7 - Si un homme est infidèle, il doit :

- ❑ a) Tout avouer, demander pardon et promettre de ne pas recommencer.
- ❑ b) Se taire et vivre sa culpabilité en silence.
- ❑ c) Tout avouer pour se libérer de sa culpabilité.
- ❑ d) S'arranger pour ne pas se faire prendre.

8 - Dans un party, si je suis seul :

- ❑ a) J'ai hâte de retrouver ma femme à la maison.
- ❑ b) Je socialise et j'essaie d'avoir le plus de plaisir possible.
- ❑ c) Si une femme m'intéresse, j'essaie de mieux la connaître, on ne sait jamais...
- ❑ d) J'enlève mon alliance et je pars à la chasse.

---

1. Si vous n'avez jamais eu d'autres relations, vous répondez a).

9 - Un homme infidèle, c'est un homme :

- ❑ a) Qui a déjà pensé à tromper sa femme.
- ❑ b) Qui a déjà trompé sa femme.
- ❑ c) Qui la trompe à l'occasion.
- ❑ d) Qui trompe sa femme régulièrement.

10 - Les recherches démontrent que plus un homme a un statut social élevé, plus il risque d'être infidèle. Ce que j'en pense :

- ❑ a) Ces hommes sont des profiteurs.
- ❑ b) Je ne crois pas qu'il faille généraliser.
- ❑ c) Quand on a les moyens, pourquoi pas?
- ❑ d) J'en ai les moyens et je ne m'en prive pas

11 - Lorsqu'un homme est infidèle, cela signifie :

- ❑ a) Qu'il n'aime pas sa femme.
- ❑ b) Que quelque chose ne va pas dans le couple.
- ❑ c) Que sa femme ne le comprend pas.
- ❑ d) Qu'il est un homme.

12 - Si je revenais sur terre, je voudrais être :

- ❑ a) Jean-Paul II.
- ❑ b) Le Général de Gaulle.
- ❑ c) Pierre-Elliott Trudeau.
- ❑ d) Hugh Heffner (fondateur de *Playboy*).

13 - Certains hommes infidèles se justifient en disant qu'il s'agit d'aventures passagères et non pas de liaisons durables, alors on doit se montrer tolérant face à leurs petites escapades. Ma réaction :

- ❑ a) Ils essaient de se justifier mais une infidélité reste une infidélité.
- ❑ b) Dans un certain sens, c'est vrai. Mais il reste tout de même qu'ils sont infidèles.
- ❑ c) Tant qu'ils ne se font pas prendre, tant mieux pour eux.
- ❑ d) Ils ont raison.

14 - Ma compagne :

- ❑ a) M'excite comme au premier jour.
- ❑ b) M'excite, mais ce n'est plus tout à fait comme avant.
- ❑ c) M'excite beaucoup moins qu'avant.
- ❑ d) Je ne la remarque plus.

15 - Selon moi, mon père était un homme :

- ❑ a) Fidèle.
- ❑ b) Fidèle, mais je ne pourrais le jurer.
- ❑ c) Je ne le sais pas, mais j'ai l'impression qu'il avait des maîtresses.
- ❑ d) Infidèle.

CALCULEZ VOS RÉSULTATS

Pour chaque A, vous vous attribuez 0 point.
Pour chaque B, vous vous attribuez 1 point.
Pour chaque C, vous vous attribuez 2 points.
Pour chaque D, vous vous attribuez 3 points.

INTERPRÉTATION DES RÉSULTATS

Vous avez obtenu :

- Entre 0 et 10 points :
Aucun doute n'est permis, vous êtes le modèle fidèle. Nul n'est tout à fait à l'abri d'une infidélité. Homme ou femme d'un seul amour, il faudrait vraiment un gros changement dans votre vie pour que cela vous arrive. Et si jamais cela se produisait, vous auriez énormément de difficulté à vous le pardonner.

- Entre 11 et 23 points :
Vous n'êtes pas infidèle. Loin de là! Toutefois, vous n'êtes pas non plus aveugle. Vous pouvez être tenté, mais il serait surprenant que vous passiez aux actes. Vous trouvez cela sans doute trop compliqué et vous ne voulez pas mettre votre couple en péril pour un désir passager.

- Entre 24 et 38 points :
Ce n'est pas l'envie de sauter la clôture qui vous manque. Vous admirez secrètement ceux et celles qui osent aller jusqu'au bout de leur(s) tentative(s). Avant de vous permettre une infidélité, il faudrait que vous soyez absolument certain de ne pas vous faire prendre.

- Entre 39 et 45 points :
Si vous n'êtes pas infidèle dans les faits, vous l'êtes sûrement dans votre tête. Pour vous, l'exclusivité sexuelle est un non-sens. Un humain normal ne peut se contenter bien longtemps d'un (e) seul(e) partenaire. Votre devise pourrait être : «C'est pas parce qu'on aime le pâté chinois qu'on a le goût d'en manger tous les jours.» Attention! Vous jouez avec le feu. Car même dans les couples «libérés», ces petites aventures finissent la plupart du temps par avoir des répercussions négatives.

DE LA THÉORIE À LA PRATIQUE

Durant les vingt dernières années, on a beaucoup décrié le concept de fidélité. De la supposée «polygamie naturelle» de l'homme jusqu'au célèbre couple «open», bien des théories ont été mises de l'avant pour tenter de justifier les relations extra-maritales. La plupart d'entre elles étaient très attrayantes. En effet, on y présentait le couple comme l'ensemble formé de deux personnes qui s'aiment tout en se laissant l'entière liberté d'aller folâtrer dans d'autres bras. À bas la possessivité et la dépendance! Au rétrograde serment de fidélité sexuelle succédait la beaucoup plus *glamorous* promesse de fidélité psychologique. Je te trompe avec mon corps mais je te suis fidèle avec mon esprit! De plus, cette nouvelle façon de concevoir la sexualité était aussi censée nous apporter la solution à l'inévitable routine. En allant voir ailleurs, on s'assurait de toujours renouveler sa sexualité de couple! Donc, en résumé, ils se marièrent, eurent beaucoup d'amants et de maîtresses et furent heureux jusqu'à la fin des temps.

Belle histoire, n'est-ce pas? Le seul petit problème, c'est que dans la réalité cela ne fonctionne à peu près jamais ainsi. Quand on aime, il est naturel de ne pas avoir le goût que l'autre aille voir ailleurs. Appelons cela «possessivité», «dépendance» si l'on veut. Mais, dans la pratique, l'amour comporte toujours un certain degré de dépendance et de possessivité. On a besoin de l'autre et on ne veut pas le partager. Et même si théoriquement nous sommes prêts à tenter l'expérience, quand cela arrive pour vrai nos émotions sont rarement en accord avec notre rationalisation.

De plus, comme il y en a toujours un des deux qui profite plus de sa liberté que l'autre, à la longue, cela ne peut qu'entraîner des tiraillements. Et lorsqu'on est rendu à aller coucher ailleurs pour ne pas être en reste avec l'être aimé, c'est qu'il y a quelque chose qui ne va plus.

Même si l'on dit que l'amour rend aveugle, dans les faits, nous pouvons tous et toutes un jour ou l'autre avoir le goût de sauter la clôture. Est-ce que penser à tromper son conjoint équivaut à le tromper? C'est ce qu'on appelait dans le temps le «péché d'intention». À mon sens, la fidélité ne consiste pas à se fermer à tout ce qui se passe autour de soi. Être attiré par une autre personne est une chose. Avoir des relations sexuelles avec cette personne en est une autre. Et c'est à ce moment-là que notre degré de fidélité joue. Le type ultra-fidèle chassera cette idée de son esprit tandis que l'infidèle ne passera pas à côté d'une telle occasion. Dans le fond, on pourrait dire que l'infidélité, c'est la décision de passer à l'action. Remarquez, vous avez tout à fait le droit de ne pas être d'accord...

Votre habileté à communiquer

Tout le monde est d'accord là-dessus : le dialogue dans un couple, c'est important! Encore faut-il être capables de se parler et de s'entendre. Car communiquer ce n'est pas seulement dire des choses, c'est aussi savoir écouter l'autre. Et s'il peut être enrageant de parler à quelqu'un qui ne réagit pas ou à qui on doit tirer les vers du nez, il est tout aussi déroutant de s'expliquer à une personne qui, mentalement, prépare sa réponse, tout en faisant semblant d'écouter pendant que nous lui exposons nos arguments.

Il n'est pas toujours facile de se voir aller. On peut constater que, dans notre couple, la communication n'est pas facile. Mais il est peut-être ardu de savoir d'où provient cette difficulté. Quelle est notre part de responsabilités là-dedans?

Le prochain test vous permettra d'évaluer votre capacité à parler mais aussi à écouter. En comparant vos réponses, ça vous donnera l'occasion de découvrir comment vous percevez réellement votre façon de communiquer l'un l'autre, et quelle importance vous et votre partenaire accordez à cette dimension. Je vous avertis : vous aurez peut-être des surprises.

VOTRE HABILETÉ À COMMUNIQUER (MADAME)

1 - Lorsque je rentre du travail :

- [x] a) J'aime que nous nous racontions tous les deux notre journée.
- [ ] b) J'aime raconter ce qui s'est passé durant ma journée.
- [ ] c) J'aime que mon conjoint me raconte sa journée.
- [ ] d) J'aime avoir la paix.

2 - Lorsque je me sens triste :

- [x] a) J'en parle facilement.
- [ ] b) J'en parle mais c'est difficile.
- [ ] c) J'aime autant ne pas en parler, mais si on me tire les vers du nez, je m'ouvre un peu.
- [ ] d) Je reste fermée comme une huître.

3 - Lorsque nous faisons l'amour :

- [ ] a) Je dis ce que je désire.
- [x] b) Je dis ce que je désire et ce que je n'aime pas.
- [ ] c) Je dis ce que je n'aime pas.
- [ ] d) Je ne dis rien.

4 - Si nous avons une discussion et que mon partenaire me présente son point de vue (qui est divergent du mien) :

- [ ] a) Je l'écoute attentivement.
- [x] b) Je prépare mentalement ma réponse.
- [ ] c) Je m'emporte.
- [ ] d) Je m'en vais.

5 - Dans le domaine de la sexualité, je considère :

- [ ] a) Qu'on doit se dire ce qu'on aime et ce qu'on aime moins.
- [ ] b) Qu'on doit éviter de dire à l'autre ce qui nous déplaît pour ne pas le blesser.
- [x] c) Lorsqu'on est avec l'autre depuis un certain temps, on est censé connaître ses préférences.
- [ ] d) Que si l'autre nous aime, il doit savoir instinctivement comment nous caresser.

6 - S'il y a un détail qui me rend mal à l'aise face à mon conjoint :

- [ ] a) Je lui en parle délicatement.
- [x] b) J'attends d'avoir suffisamment de faits pour pouvoir le confronter.

- ❑ c) Je lui fais une crise.
- ❑ d) Je ne dis rien.

7 - Nous allons au restaurant tous les deux :

- ❑ a) Nous avons une foule de choses à nous dire.
- ❑ b) Nous parlons de ce que nous mangeons.
- ❑ c) Nous parlons des enfants et de l'hypothèque à payer.
- ❑ d) Nous n'avons rien à nous dire.

8 - J'ai dit à mon conjoint que je l'aimais :

- ❑ a) Cette semaine.
- ❑ b) Durant le dernier mois.
- ❑ c) Durant la dernière année.
- ❑ d) Je ne m'en souviens pas.

9 - Durant une soirée sociale mon conjoint dit à une de mes amies : «Quand j'ai connu ma femme, elle était aussi petite que toi.» Cela m'a blessée. Après la veillée, je décide de lui en parler. Je l'aborde de la façon suivante :

- ❑ a) Tu ne t'en es peut-être pas rendu compte mais je me suis sentie blessée.
- ❑ b) Tu m'as blessée quand tu as dit à Jasmine que j'avais engraissé.
- ❑ c) T'es un bel écoeurant!
- ❑ d) Je ne dis rien.

10 - J'ai la réputation :

- ❑ a) D'être un grand livre ouvert.
- ❑ b) D'être attentive aux problèmes des autres.
- ❑ c) D'être très secrète.
- ❑ d) Je ne sais pas ce qu'on dit de moi.

11 - Lorsque quelque chose me tracasse, je préfère :

- ❑ a) En parler.
- ❑ b) Me taire.
- ❑ c) Qu'on me fasse parler.
- ❑ d) Qu'on me laisse tranquille.

12 - Je voudrais être :

- ❑ a) Un chien.
- ❑ b) Un chat.
- ❑ c) Un perroquet.
- ❑ d) Un lézard.

13 - Si j'avais à choisir entre les quatre professions suivantes, je choisirais :

- ❑ a) Psychologue.
- ❑ b) Avocate.

- [ ] c) Comptable.
- [x] d) Informaticienne.

14 - Je préfère :
- [x] a) Une conversation avec mon conjoint.
- [ ] b) Une partie de cartes avec des amis.
- [ ] c) Un party survolté.
- [ ] d) Un bon livre, mes pantoufles, une tasse de thé.

15 - Je passe une soirée à la maison avec mon conjoint :
- [x] a) On se prépare un petit souper à deux, ensuite on fera peut-être l'amour.
- [ ] b) Nous sortons notre jeu de société préféré.
- [ ] c) Je regarde la télévision avec lui.
- [ ] d) Je préfère ne pas passer de soirée avec mon conjoint.

16 - Pour moi, la parole est :
- [x] a) D'or.
- [ ] b) D'argent.
- [ ] c) De bronze.
- [ ] d) De fer mangé par la rouille.

17 - Dans ces quatre phrases, je choisis :
- [ ] a) Il faut toujours dire ce qu'on pense même si cela doit blesser.
- [x] b) Il faut dire ce qu'on pense mais en y mettant les formes pour ne pas blesser.
- [ ] c) Il est parfois mieux de garder certaines choses pour soi.
- [ ] d) Pourquoi parler quand on peut se taire.

18 - Selon moi, mon conjoint :
- [ ] a) Est un homme qui communique très facilement.
- [ ] b) Est un homme qui communique assez bien.
- [x] c) Est un homme pour qui ce n'est pas facile de communiquer.
- [ ] d) Est un homme qui ne communique pas.

19 - Selon moi, je suis :
- [x] a) Une femme qui communique très facilement.
- [ ] b) Une femme qui communique assez bien.
- [ ] c) Une femme pour qui ce n'est pas facile de communiquer.
- [ ] d) Une femme qui ne communique pas.

20 - Selon moi, mon conjoint :
- [ ] a) Sait parler et écouter.
- [x] b) Écoute beaucoup mais ne parle pas ou peu.
- [ ] c) Parle beaucoup mais n'écoute pas ou peu.
- [ ] d) Ne parle pas et n'écoute pas.

SAVEZ-VOUS COMMUNIQUER? (MONSIEUR)

1 - Lorsque de rentre du travail :

- ❑ a) J'aime que nous nous racontions tous les deux notre journée.
- ❑ b) J'aime raconter ce qui s'est passé durant ma journée.
- ☑ c) J'aime que ma conjointe me raconte sa journée.
- ❑ d) J'aime avoir la paix.

2 - Lorsque je me sens triste :

- ❑ a) J'en parle facilement.
- ❑ b) J'en parle mais c'est difficile.
- ☑ c) J'aime autant ne pas en parler mais si on me tire les vers du nez, je m'ouvre un peu.
- ❑ d) Je reste fermé comme une huître.

3 - Lorsque nous faisons l'amour :

- ❑ a) Je dis ce que je désire.
- ☑ b) Je dis ce que je désire et ce que je n'aime pas.
- ❑ c) Je dis ce que je n'aime pas.
- ❑ d) Je ne dis rien.

4 - Si nous avons une discussion et que ma conjointe me présente son point de vue (qui est divergent du mien) :

- ❑ a) Je l'écoute attentivement.
- ❑ b) Je prépare mentalement ma réponse.
- ☑ c) Je m'emporte.
- ❑ d) Je m'en vais.

5 - Dans le domaine de la sexualité, je considère :

- ❑ a) Qu'on doit se dire ce qu'on aime et ce qu'on aime moins.
- ❑ b) Qu'on doit éviter de dire à l'autre ce qui nous déplaît pour ne pas la blesser.
- ❑ c) Lorsqu'on est avec l'autre depuis un certain temps, on est censé connaître ses préférences.
- ☑ d) Que si l'autre nous aime, elle doit savoir instinctivement comment nous caresser.

6 - S'il y a un détail qui me rend mal à l'aise face à mon conjoint :

- ☑ a) Je lui en parle délicatement.
- ❑ b) J'attends d'avoir suffisamment de faits pour pouvoir le confronter.
- ❑ c) Je lui fais une crise.
- ❑ d) Je ne dis rien.

7 - Nous allons au restaurant tous les deux :

- ☑ a) Nous avons une foule de choses à nous dire.
- ❑ b) Nous parlons de ce que nous mangeons.
- ❑ c) Nous parlons des enfants et de l'hypothèque à payer.
- ❑ d) Nous n'avons rien à nous dire.

8 - J'ai dit à ma conjointe que je l'aimais :

- ❑ a) Cette semaine.
- ☑ b) Durant le dernier mois.
- ❑ c) Durant la dernière année.
- ❑ d) Je ne m'en souviens pas.

9 - Durant une soirée sociale ma conjointe dit à un de mes vieux amis : «Dire que lorsque nous nous sommes connus, je le trouvais plus beau que toi.» Cela m'a blessé. Après la veillée, je décide de lui en parler. Je l'aborde de la façon suivante :

- ☑ a) Tu ne t'en es peut-être pas rendu compte mais je me suis senti blessé par tes propos.
- ❑ b) Tu m'as blessé quand tu as dis à Paul que j'étais moins beau que lui.
- ❑ c) T'es une belle écoeurante!
- ❑ d) Je ne dis rien.

10 - J'ai la réputation :

- ❑ a) D'être un grand livre ouvert.
- ❑ b) D'être attentif aux problèmes des autres.
- ☑ c) D'être très secret.
- ❑ d) Je ne sais pas ce qu'on dit de moi.

11 - Lorsque quelque chose me tracasse, je préfère :

- ❑ a) En parler.
- ❑ b) Me taire.
- ☑ c) Qu'on me fasse parler.
- ❑ d) Qu'on me laisse tranquille.

12 - Je voudrais être :

- ☑ a) Un chien.
- ❑ b) Un chat.
- ❑ c) Un perroquet.
- ❑ d) Un lézard.

13 - Si j'avais à choisir entre les quatre professions suivantes, je choisirais :

- ❑ a) Psychologue.
- ❑ b) Avocat.
- ☑ c) Comptable.
- ❑ d) Informaticien.

14 - Je préfère :

- ❑ a) Une conversation avec ma conjointe.
- ☑ b) Une partie de cartes avec des amis.
- ❑ c) Un party survolté.
- ❑ d) Un bon livre, mes pantoufles, une tasse de thé.

15 - Je passe une soirée à la maison avec ma conjointe :

- ❑ a) On se prépare un petit souper à deux, puis on fera peut-être l'amour.
- ❑ b) Nous sortons notre jeu de société préféré.
- ☑ c) Je regarde la télévision avec elle.
- ❑ d) Je préfère ne pas passer de soirée avec ma conjointe.

16 - Pour moi, la parole est :

- ❑ a) D'or.
- ☑ b) D'argent.
- ❑ c) De bronze.
- ❑ d) De fer mangé par la rouille.

17 - Dans ces quatre phrases, je choisis :

- ❑ a) Il faut toujours dire ce qu'on pense même si cela doit blesser.
- ☑ b) Il faut dire ce qu'on pense mais en y mettant les formes pour ne pas blesser.
- ❑ c) Il est parfois mieux de garder certaines choses pour soi.
- ❑ d) Pourquoi parler quand on peut se taire.

18 - Selon moi, ma conjointe :

- ❑ a) Est une femme qui communique très facilement.
- ☑ b) Est une femme qui communique assez bien.
- ❑ c) Est une femme pour qui ce n'est pas facile de communiquer.
- ❑ d) Est une femme qui ne communique pas.

19 - Selon moi, je suis :

- ❑ a) Un homme qui communique très facilement.
- ❑ b) Un homme qui communique assez bien.
- ☑ c) Un homme pour qui ce n'est pas facile de communiquer.
- ❑ d) Un homme qui ne communique pas.

20 - Selon moi, ma conjointe :

- ❑ a) Sait parler et écouter.
- ❑ b) Écoute beaucoup mais ne parle pas ou peu.
- ☑ c) Parle beaucoup mais n'écoute pas ou peu.
- ❑ d) Ne parle pas et n'écoute pas.

CALCUL DES RÉSULTATS

Pour chaque A, attribuez-vous 3 points.
Pour chaque B, attribuez-vous 2 points.
Pour chaque C, attribuez-vous 1 point.
Pour chaque D, attribuez-vous 0 point.

INTERPRÉTATION DES RÉSULTATS

Vous avez obtenu :

• **entre 0 et 13 points :**
La communication n'est pas votre point fort. Vous semblez être un peu comme une huître fermée. Vous n'entrez pas en contact avec les autres et votre attitude n'encourage sûrement pas les autres à essayer d'entrer en contact avec vous. De quoi avez-vous peur? Vous a-t-on tant blessé que vous n'osez plus faire confiance à personne? Il y a sûrement une perle cachée au fond de vous, mais pour qu'on la voie, il faudrait au moins que vous essayiez de vous ouvrir un peu. Ce ne sera certes pas facile, mais croyez-moi, cela vaut la peine d'essayer.

• **entre 14 et 25 points :**
Vous n'êtes pas un as de la communication. Par contre, si on vous tire les vers du nez, vous acceptez de vous livrer un peu. De plus, si l'autre vous demande de l'écouter, vous êtes capable de le faire, mais il ne faut pas que ce soit trop long ou trop fréquent. Sinon, il ou elle perd votre attention. Vous aimez parler, mais pas de vous ni de choses trop personnelles. Vous vous sentez plus à l'aise lorsqu'il s'agit de commenter le dernier film que vous avez vu ou le dernier match de football auquel vous avez assisté que de parler de ce qui vous préoccupe intérieurement ces temps-ci.

• **entre 26 et 38 points :**
Vous ne faites pas nécessairement de grandes déclarations sur vos états d'âme à tous les jours, mais vous n'évitez pas non plus les occasions de dialoguer avec l'être aimé. Vous ne vous sentez cependant pas toujours très à l'aise de dire ce qui se passe en vous, surtout s'il s'agit de choses plus ou moins agréables.

• **entre 39 et 52 points :**
Communiquer ne semble pas vous poser de problème particulier. Vous ressentez le besoin de dire régulièrement à l'autre ce que vous vivez intérieurement et vous désirez qu'il ou elle fasse de même avec vous. Les discussions, même désagréables, ne vous font pas peur (je ne dis pas que vous cherchez la chicane). Vous n'arrivez pas toujours à un accord, mais au moins vous savez sur quel pied danser.

• **entre 53 et 60 points :**
Vous êtes un grand livre ouvert, c'est le cas de le dire. Pour vous, hors de la communication, point de salut. Vous êtes habile à dire ce que vous vivez mais vous savez aussi très bien écouter.

APPRENDRE À COMMUNIQUER

Vouloir communiquer est une chose, apprendre à le faire en est une autre. C'est un apprentissage qui, sans être très complexe, demande du temps et de la persévérance.

Avant toute chose, il faut savoir ce qu'est la communication. Trop souvent, on voit des gens penser que communiquer, c'est parler. Oui, en effet, la parole fait partie de la communication. Mais on peut caqueter durant des heures, si on ne sait pas aussi écouter, on ne communique pas. On monologue.

Écouter, cela implique qu'on ferme la bouche tout en s'ouvrant l'esprit. Je m'explique. Ce n'est pas parce qu'on ne parle pas qu'on écoute l'autre. On peut très bien entendre ses paroles tout en préparant mentalement sa réponse. À ce moment-là, il est quasi-impossible de saisir véritablement ce qu'il nous dit. On est bien trop occupé par ce qu'on va lui apporter comme argument massue!

Qu'on ait de la difficulté à parler ou à écouter, on en arrive au même : une mauvaise communication. Et le résultat d'une mauvaise communication est l'incompréhension. Et lorsqu'on ne se comprend pas, c'est difficle de bien s'entendre.

Un petit exercice peut vous aider à améliorer la qualité de votre communication. Je vous avertis : il se peut que vous vous sentiez complètement ridicule en le faisant. Mais comme cela restera entre vous deux, vous pouvez bien tenter l'expérience. Après tout, vous ne risquez pas grand-chose.

Voici donc de quoi il s'agit précisément : Vous êtes assis en Indien l'un en face de l'autre (sur votre lit ou sur un tapis épais). En tirant à pile ou face, vous déterminez le premier des deux qui parlera. Puis, vous commencez l'exercice proprement dit. Celui qui a la parole débutera :

«Je voudrais te dire...»

et il continue par une pensée ou un sentiment qu'il a eu par rapport à l'autre durant la journée. Par exemple : «Je voudrais te dire que j'ai pensé à toi aujourd'hui et que j'avais hâte de te revoir.» Ou encore : «Je voudrais te dire que j'ai été fâché contre toi une bonne partie de la journée parce que tu ne m'as pas embrassé ce matin.»

Vous voyez le genre. On parle de quelque chose qu'on a ressenti en employant le «je» et en évitant d'accuser l'autre ou d'en venir à des conclusions hâtives. Par exemple, on ne dit pas : «Tu es sans coeur, tu ne m'embrasses jamais et selon moi tu ne dois pas m'aimer.» Ce type de phrase ne fait que mettre l'autre sur la défensive et ne donne rien de positif.

Pendant ce temps, celui qui doit <u>écouter</u> écoute sans chercher une réponse dans sa tête. Lorsque l'autre a exprimé ce qu'il avait à dire, alors il peut prendre la parole. Il commence par interpréter ce qu'il a compris. Cela peut donner le type de conversation suivante :

— Alors, si j'ai bien compris, tu as été déçu que je ne t'embrasse pas ce matin avant de partir. (Remarquez il n'y a pas d'excuse genre «j'ai pas eu le temps» ou «j'ai autre chose à faire que ça».)
— Oui c'est ça.
— Qu'est-ce que tu aimerais que je fasse pour changer ça?
— J'aimerais que le matin tu prennes dix secondes pour me donner un bisou.
— D'accord. Mais je t'avertis tu vas peut-être avoir à me le rappeler à quelques reprises.
— C'est O.K.

Autre exemple de conversation.
— J'ai pensé à toi souvent aujourd'hui. J'avais hâte de te revoir.
— Si j'ai bien compris, tu t'es ennuyé de moi et tu es content qu'on se soit retrouvé à la fin de la journée.
— Oui, c'est ça.
— Ça me fait plaisir que tu me dises ça.

Comme vous voyez, ce ne sont pas des conversations très élaborées. Vous ne réglerez pas le sort du monde avec cet exercice. Mais il peut vous permettre d'apprendre à vous parler tout en vous comprenant. Le «si j'ai bien compris» même s'il peut sembler superflu, vous permet de vous assurer que vous parlez tous deux de la même chose et vous empêche de vous enliser dans des malentendus dont il est souvent difficile de sortir.

Je vous suggère de faire ce petit exercice 3 ou 4 fois par semaine, une quinzaine de minutes chaque fois. Restez-en à des choses que vous avez vécues la journée même et alternez les rôles (une fois j'exprime, une fois je réagis). Aux premiers essais, vous vous sentirez malhabiles et vous vous demanderez ce que vous faites là, mais peu à peu vous devriez y prendre même un certain plaisir.

Partie 2

Vos habitudes de vie

Êtes-vous trop stressé?

Le stress, personne n'y échappe. Selon Hans Selye, ce scientifique qui a défini le stress et lui a donné son nom, il s'agit d'un élément essentiel. à la vie. L'absence totale de stress, c'est la mort. Ce qui fait problème, ce n'est donc pas le stress en lui-même, c'est l'excès de stress.

Plusieurs difficultés sexuelles sont reliées soit directement, soit indirectement à des niveaux de stress trop élevés. Par exemple, l'homme éjaculateur précoce est souvent très anxieux face à sa performance. Son anxiété accroît sa tension et diminue du fait même le contrôle qu'il pourrait avoir sur son excitation sexuelle. En d'autres termes, «il prend les nerfs». Autre exemple, la femme qui n'a pas d'orgasme parce qu'elle pense à ce qu'elle pourrait faire d'autre durant ce temps passé à faire l'amour. Cette femme est stressée par toutes ses occupations et obligations. Elle n'est pas capable de se les enlever de la tête et il lui est donc impossible de s'abandonner complètement à la relation sexuelle. Comme l'abandon est une condition *sine qua non* à l'atteinte de l'orgasme, elle ne l'a évidemment pas.

Êtes-vous du type «hyper-calme» ou «super-stressé»? Ce petit test vise à vous en donner une idée. On se retrouve dans quelques pages.

SUIS-JE TROP STRESSÉE? (MADAME)

1 - Il m'arrive d'avoir les mains moites :

- ❑ a) Souvent.
- ❑ b) Parfois.
- ❑ c) Jamais.

2 - J'ai des insomnies :

- ❑ a) Souvent.
- ❑ b) Parfois.
- ❑ c) Jamais.

3 - J'ai déjà fait un ou des ulcères d'estomac :

- ❑ a) Oui.
- ❑ b) Non.
- ❑ c) Je ne sais pas.

4 - J'ai de la difficulté à digérer :

- ❑ a) Souvent.
- ❑ b) Parfois.
- ❑ c) Jamais.

5 - Je pense être :

- ❑ a) Une nerveuse intérieurement et extérieurement.
- ❑ b) Une nerveuse par en dedans.
- ❑ c) Une personne calme intérieurement et extérieurement.

6 - Mon travail est :

- ❑ a) Très stressant.
- ❑ b) Moyennement stressant.
- ❑ c) Peu stressant.

7 - Je vis :

- ❑ a) Au-dessus de mes moyens.
- ❑ b) Selon mes moyens.
- ❑ c) En deça de mes moyens.

8 - Présentement, au travail :

- ❑ a) J'ai beaucoup de problèmes.
- ❑ b) Il y a certaines difficultés mais je passe au travers.
- ❑ c) Tout marche sur des roulettes.

9 - Présentement, à la maison :

- ❑ a) J'ai beaucoup de problèmes.

- [x] b) Il y a certaines difficultés mais je passe au travers.
- [ ] c) Tout marche sur des roulettes.

10 - Ma santé :
- [ ] a) Me préoccupe.
- [x] b) Est assez bonne.
- [ ] c) Est excellente.

11 - Les douze derniers mois ont été :
- [ ] a) Particulièrement difficiles.
- [x] b) Ordinaires.
- [ ] c) Particulièrement heureux.

12 - Si quelqu'un me touche sans que je le voie :
- [ ] a) Je sursaute.
- [x] b) Je ne sursaute pas mais je me retourne assez rapidement.
- [ ] c) Je ne réagis pas.

13 - Je pense être :
- [ ] a) Très perfectionniste.
- [x] b) Pas vraiment perfectionniste, mais j'aime les choses bien faites.
- [ ] c) Pas perfectionniste du tout.

14 - Je suis :
- [x] a) Impatiente.
- [ ] b) Relativement patiente.
- [ ] c) Très patiente.

15 - On m'a déjà prescrit des médicaments pour les nerfs :
- [ ] a) À plusieurs reprises.
- [ ] b) Une ou deux fois.
- [x] c) Jamais.

16 - Une fée me transforme en animal. Je deviens :
- [ ] a) Un écureuil.
- [ ] b) Un castor.
- [x] c) Un chat.

17 - Mon conjoint m'a déjà fait remarquer que je grinchais des dents et (ou) que je sursautais dans mon sommeil :
- [x] a) Souvent.
- [ ] b) À une ou deux reprises.
- [ ] c) Jamais.

18 - J'ai déjà fait un burn-out :
- [ ] a) Oui.
- [ ] b) Je ne sais pas.
- [x] c) Non, je ne crois pas.

19 - Je sens une boule au niveau de mon estomac :

- [x] a) Souvent.
- [ ] b) Quelquefois.
- [ ] c) Jamais.

20 - J'ai l'impression que je pourrais exploser d'un moment à l'autre :

- [ ] a) Souvent.
- [x] b) Quelquefois.
- [ ] c) Jamais.

❦❦❦

SUIS-JE TROP STRESSÉ? (MONSIEUR)

1 - Il m'arrive d'avoir les mains moites :

- [ ] a) Souvent.
- [ ] b) Parfois.
- [x] c) Jamais.

2 - J'ai des insomnies :

- [x] a) Souvent.
- [ ] b) Parfois.
- [ ] c) Jamais.

3 - J'ai déjà fait un ou des ulcères d'estomac :

- [x] a) Oui.
- [ ] b) Non.
- [ ] c) Je ne sais pas.

4 - J'ai de la difficulté à digérer :

- [x] a) Souvent.
- [ ] b) Parfois.
- [ ] c) Jamais.

5 - Je pense être :

- [x] a) Un nerveux intérieurement et extérieurement.
- [ ] b) Un nerveux par en dedans.
- [ ] c) Une personne calme intérieurement et extérieurement.

6 - Mon travail est :

- [x] a) Très stressant.
- [ ] b) Moyennement stressant.
- [ ] c) Peu stressant.

7 - Je vis :

- ☐ a) Au-dessus de mes moyens.
- ☑ b) Selon mes moyens.
- ☐ c) En deça de mes moyens.

8 - Présentement, au travail :

- ☐ a) J'ai beaucoup de problèmes.
- ☑ b) Il y a certaines difficultés mais je passe au travers.
- ☐ c) Tout marche sur des roulettes.

9 - Présentement, à la maison :

- ☐ a) J'ai beaucoup de problèmes.
- ☑ b) Il y a certaines difficultés mais je passe au travers.
- ☐ c) Tout marche sur des roulettes.

10 - Ma santé :

- ☑ a) Me préoccupe.
- ☐ b) Est assez bonne.
- ☐ c) Est excellente.

11 - Les douze derniers mois ont été :

- ☑ a) Particulièrement difficiles.
- ☐ b) Ordinaires.
- ☐ c) Particulièrement heureux.

12 - Si quelqu'un me touche sans que je le voie :

- ☐ a) Je sursaute.
- ☑ b) Je ne sursaute pas mais je me retourne assez rapidement.
- ☐ c) Je ne réagis pas.

13 - Je pense être :

- ☐ a) Très perfectionniste.
- ☑ b) Pas vraiment perfectionniste, mais j'aime les choses bien faites.
- ☐ c) Pas perfectionniste du tout.

14 - Je suis :

- ☐ a) Impatient.
- ☑ b) Relativement patient.
- ☐ c) Très patient.

15 - On m'a déjà prescrit des médicaments pour les nerfs :

- ☐ a) À plusieurs reprises.
- ☑ b) Une ou deux fois.
- ☐ c) Jamais.

16 - Une fée me transforme en animal. Je deviens :

- ☐ a) Un écureuil.

☑ b) Un castor.
☐ c) Un chat.

17 - Ma conjointe m'a déjà fait remarquer que je grinchais des dents et (ou) que je sursautais dans mon sommeil :
☐ a) Souvent.
☑ b) À une ou deux reprises.
☐ c) Jamais.

18 - J'ai déjà fait un burn-out :
☐ a) Oui.
☐ b) Je ne sais pas.
☑ c) Non, je ne crois pas.

19 - Je sens une boule au niveau de mon estomac :
☐ a) Souvent.
☑ b) Quelquefois.
☐ c) Jamais.

20 - J'ai l'impression que je pourrais exploser d'un moment à l'autre :
☐ a) Souvent.
☑ b) Quelquefois.
☐ c) Jamais.

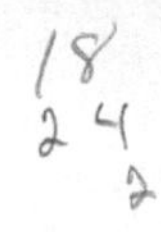

CALCUL DES RÉSULTATS

Pour chaque A, donnez-vous 3 points.
Pour chaque B, donnez-vous 2 points.
Pour chaque C, donnez-vous 1 point.

INTERPRÉTATION DES RÉSULTATS

Vous avez obtenu :

- **entre 20 et 30 points :**

Vous êtes une personne calme. Il ne doit pas y avoir grand-chose qui vous énerve dans la vie. Vous prenez les choses comme elles se présentent. Vu de l'extérieur, on pourrait vous croire imperméable aux événements qui se produisent autour de vous. Dans le fond, vous pouvez être très touché par ce qui arrive mais vous refusez de paniquer pour ce que vous considérez être un des aléas de la vie.

- **entre 31 et 40 points :**

Vous faites partie des personnes relativement calmes. Toutefois, il peut vous arriver de connaître des périodes de stress plus intenses. À ce moment, il ne serait pas surprenant que vous soyez sujet à des maux d'estomac ou à des problèmes d'insomnie. Vous êtes peut-être aussi le genre «nerveux par en dedans». Les autres ne s'en aperçoivent peut-être pas, mais vous êtes facilement touché par ce qu'on dit de vous et (ou) de vos réalisations.

- **entre 41 et 50 points :**

Le stress, vous savez ce que c'est. Vous le contrôlez la plupart du temps assez bien, mais même dans les moments plus calmes, il doit vous être difficile de vous sentir complètement détendu. Vous n'êtes pas un paquet de nerfs, toutefois, l'apprentissage d'une méthode de relaxation pourrait vous aider à abaisser votre niveau de tension.

- **entre 51 et 60 points :**

Il n'y a aucun doute là-dessus, vous êtes stressé et vous n'aviez pas besoin de ce petit test pour le savoir. Que faites-vous pour diminuer votre stress? Si votre réponse est «pas grand-chose», il est temps que vous remédiez à cette situation. La première étape sera de passer un bon examen médical général, histoire de connaître avec plus de précision quel est votre état de santé actuel. Après, ce sera à vous de prendre les décisions qui s'imposent.

DES MOYENS DE SE DÉTENDRE

Lorsqu'on est trop stressé, il est normal de vouloir se détendre. On ne sait malheureusement pas toujours comment s'y prendre.

Il existe plusieurs façons de se détendre. On doit d'abord choisir son ou ses moyens de détente selon ses goûts et sa personnalité. Car ce qui est très relaxant pour l'un peut devenir extrêmement énervant pour l'autre. Il faut aussi se dire que la détente ne viendra pas automatiquement. Ce n'est pas, par exemple, parce qu'on prend un bon bain chaud trois jours d'affilée qu'on deviendra l'être le plus «relax» du quartier. Cela pourra prendre quelques semaines avant qu'on commence à voir les effets positifs de notre méthode de relaxation personnelle.

Au début, vous aurez peut-être de la difficulté à trouver du temps pour vos moments de détente. Ceci n'est pas du tout étonnant : la plupart des gens stressés ont des journées bien remplies, je dirais même trop remplies. Donc, lorsqu'il s'agit de se trouver une petite demi-heure par jour à se consacrer à soi-même, on peut avoir de la difficulté à la dénicher, mais avec un peu de persévérance, cela deviendra une habitude dont vous ne pourrez plus vous passer. N'ayez crainte, personne ne vous reprochera ces moments que vous vous donnez. Au contraire, si vos proches vous sentent plus détendu, ils vous encourageront à continuer à vous occuper de vous.

Plus concrètement, voici quelques suggestions d'activités de relaxation.

- *Cassette de relaxation* : sur le marché, on retrouve depuis quelques années, plusieurs cassettes dites de relaxation. Qu'il s'agisse de «relaxation active», «relaxation passive» ou «détente subliminale» pour n'en nommer que quelques-unes, la plupart sont valables. Si vous êtes du genre à ne pas être capable de rester immobile plus de deux minutes, optez pour la «relaxation active» (c'est indiqué sur la cassette). Par contre, si vous aimez écouter de la musique douce, une cassette de «détente subliminale» sera peut-être plus adaptée à vos besoins. De toute façon, vous pouvez faire quelques essais avant de fixer votre choix.

Fréquence recommandée : l'idéal serait de faire votre relaxation deux fois par jour. Le mieux étant parfois l'ennemi du bien, essayez de la faire au moins une fois par jour.

- *Bain chaud* : l'eau chaude relaxe les muscles du corps. De plus, lorsqu'on est dans son bain, on ne peut pas faire grand-chose. Cela vous donne un temps d'arrêt dont vous avez peut-être bien besoin. Vous pouvez tamiser la lumière, et en profiter pour écouter de la musique douce et siroter votre «drink» préféré.

Fréquence recommandée : si c'est votre seule activité de détente, prévoyez quatre ou cinq bains par semaine, d'une durée de 20 à 30 minutes.

- *Sports de raquette* (tennis, squash, racquetball, badminton) : ce type d'activités est particulièrement recommandé à ceux qui vivent des situations de tensions extrêmes. Au lieu de faire subir votre agressivité à vos proches, projetez-la sur votre balle de tennis ou de racquetball. Vous verrez, vous vous sentirez sans doute beaucoup mieux.

Fréquence recommandée : deux ou trois fois par semaine.

- *Casse-tête* : type d'activités extrêmement relaxant pour certains et extrêmement énervant pour d'autres. À essayer.

Fréquence recommandée : trente minutes par jour.

- *Marche* : si vous avez la chance d'habiter dans un environnement agréable, profitez-en. Marchez d'un bon pas, soyez attentif aux odeurs et aux couleurs et respirez à pleins poumons.

Fréquence recommandée : une marche par jour de 30 à 45 minutes.

- *Toute activité* que vous aimiez dans le temps et que vous avez délaissée faute justement de temps. Vous avez déjà été bricoleur, vous faisiez des modèles réduits, vous aimiez la couture? Refaites connaissance avec votre vieux hobby. Vous y trouverez peut-être la paix de l'esprit.

Fréquence recommandée : trente minutes par jour.

P.S. La télévision ne constitue pas un moyen de détente, surtout si vous vous écrasez devant le poste dès le retour du travail et y restez jusqu'au coucher.

La place de votre travail dans votre vie

Le travail, c'est la santé! Je ne vous contredirai pas là-dessus. Sauf que trop, c'est comme pas assez. Et si certains ne jurent que par leurs prochaines vacances, d'autres, tout au contraitre, ne voient la vie qu'en termes de «tâches à accomplir». Ils ne peuvent s'arrêter une minute, à moins d'y être forcés par la maladie. Ce sont des esclaves du travail. Les Américains les ont surnommés *workaholic*. Peut-être faites-vous partie de cette catégorie de personnes.

Vous ne voyez pas comment vos habitudes de travail peuvent influencer la qualité de votre vie sexuelle? Laissez-moi vous expliquer. Lorsqu'on se lève à 6h30 le matin et que, dès ce moment, on commence à courir (garderie, boulot, épicerie, ménage, etc.) pour ne s'arrêter que passé 22h, à moins d'être un jeune homme dans la vingtaine, on n'est pas vraiment en forme pour la bagatelle. On n'a qu'une seule véritable envie : dormir. Ceci est particulièrement vrai pour les femmes. Notre sexualité est plus fragile face aux éléments extérieurs. Et si un homme, surtout s'il est jeune, peut faire abstration de sa fatigue, nous en sommes la plupart du temps incapables. Pour avoir le goût de faire l'amour, nous avons besoin de nous sentir disponibles. Et lorsqu'on est épuisé par les obligations de toutes sortes, on ne peut avoir cette disponibilité.

Il ne faudrait toutefois pas comprendre que les hommes ne sont pas touchés par un surcroît de travail. Chez les hommes jeunes, c'est vrai. Mais plus ils vieillissent, plus ils tendent à devenir comme les femmes à ce niveau. S'ils se sentent très préoccupés par leurs activités professionnelles, ils verront leur désir sexuel diminuer.

Enfin, même si on ne fait pas partie de ces forçats du travail, notre vie sexuelle peut être bouleversée par les habitudes de l'autre. En effet, si il ou elle ne s'arrête jamais, où trouver le temps pour se rencontrer et passer à des occupations plus intimes?

Le travail occupe-t-il trop de place dans votre vie? Les prochaines questions vous permettront d'en avoir une meilleure idée?

N.B. Même si vous ne travaillez pas à l'extérieur, cela ne signifie pas que vous êtes oisif(ve). C'est souvent le contraire qui se produit. Alors, répondez aux prochaines questions en les adaptant, si nécessaire, à votre situation particulière.

LE TRAVAIL OCCUPE-T-IL UNE PLACE TROP IMPORTANTE DANS VOTRE VIE? (MADAME)

1 - Je travaille :

☐ a) Moins de huit heures par jour.
☐ b) Environ huit heures par jour.
☒ c) De dix à douze heures par jour.
☐ d) Plus de douze heures par jour.

2 - Pour moi, le travail c'est :

☐ a) Ce qui m'empêche de vivre ma vie.
☐ b) Essentiellement un moyen de gagner ma vie.
☐ c) La santé.
☒ d) Ma raison de vivre.

3 - J'aime mon travail :

☐ a) Passionnément.
☒ b) Beaucoup.
☐ c) Modéremment.
☐ d) Pas du tout.

4 - Lorsque je reviens à la maison :

☐ a) J'ai oublié ce qui s'est passé à mon travail.
☒ b) Il peut m'arriver d'être préoccupée par ce qui s'est passé à mon travail.
☐ c) J'ai de la difficulté à décrocher de mon travail.
☐ d) Je passe mes soirées à penser à mon travail et à en parler.

5 - Mis à part mon emploi principal :

☐ a) J'ai toujours eu plusieurs autres petits emplois rémunérés.
☐ b) J'ai toujours eu un autre emploi rémunéré.
☐ c) J'ai parfois eu un autre emploi rémunéré.
☐ d) Je n'ai jamais eu d'autres emplois rémunérés.

6 - Mon travail est ma :

☐ a) Première priorité.
☒ b) Une de mes premières priorités.
☐ c) Une priorité parmi d'autres.
☐ d) Ma dernière priorité.

7 - Je gagne le million à la loterie :

❑ a) J'arrête de travailler immédiatement.
■ b) Je demande un congé et je prends le temps de réfléchir à ce que j'aimerais faire dans la vie.
❑ c) Je garde mon travail, mais j'arrête de faire des heures supplémentaires et je demande de plus longues vacances.
❑ d) Je ne change rien à mes habitudes de travail.

8 - J'ai une bonne grippe :

❑ a) Je vais travailler quand même.
■ b) Si je suis vraiment malade, il peut m'arriver de rester au lit, mais il faut que je sois vraiment malade.
❑ c) Je prends une journée de congé et je prévois retourner au travail le lendemain.
❑ d) Je reste au lit et j'avertis mon patron que je ne sais pas quel sera le moment de mon retour.

9 - Mon conjoint m'a déjà reproché de trop travailler :

❑ a) Souvent.
■ b) Quelquefois.
❑ c) Rarement.
❑ d) Mon conjoint me reproche plutôt l'inverse.

10 - Je voudrais :

❑ a) Que les vacances durent toute l'année.
■ b) Que les fins de semaine aient trois jours.
❑ c) Que les journées soient plus longues.
❑ d) Que les journées aient trente-six heures et les semaines, huit jours.

11 - Je fais des heures supplémentaires :

❑ a) Tous les jours.
❑ b) Toutes les semaines.
❑ c) Tous les mois.
■ d) Celui ou celle qui va me faire faire des heures supplémentaires n'est pas né!

12 - Les gens qui n'ont pas de travail sont :

❑ a) Des gens qui ne veulent pas travailler.
■ b) Parfois des gens qui ne veulent pas travailler, parfois des malchanceux.
❑ c) Des malchanceux.
❑ d) Des chanceux.

13 - Durant la fin de semaine :

❑ a) Je me repose.
❑ b) Je me repose et je passe du temps en famille.

☑ c) J'en profite pour faire des travaux d'entretien (ménage, lavage, tonte du gazon, etc.).
☐ d) J'en profite pour travailler sur des dossiers en souffrance.

14 - Mes proches disent de moi que je suis surtout :
☐ a) Une bourreau de travail.
☑ b) Une bonne travailleuse.
☐ c) Une bonne vivante.
☐ d) Une fainéante.

15 - Je passe une journée à ne rien faire, je me sens :
☐ a) Terriblement heureuse.
☐ b) Plutôt bien.
☐ c) Coupable.
☑ d) Je ne suis pas capable de passer une journée à ne rien faire.

❦❦❦

LE TRAVAIL OCCUPE-T-IL UNE PLACE TROP IMPORTANTE DANS VOTRE VIE? (MONSIEUR)

1 - Je travaille :
☐ a) Moins de huit heures par jour.
☑ b) Environ huit heures par jour.
☐ c) De dix à douze heures par jour.
☐ d) Plus de douze heures par jour.

2 - Pour moi, le travail c'est :
☐ a) Ce qui m'empêche de vivre ma vie.
☑ b) Essentiellement un moyen de gagner ma vie.
☐ c) La santé.
☐ d) Ma raison de vivre.

3 - J'aime mon travail :
☐ a) Passionnément.
☑ b) Beaucoup.
☐ c) Modérément.
☐ d) Pas du tout.

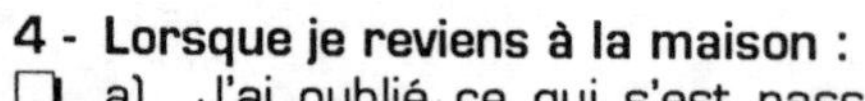

4 - Lorsque je reviens à la maison :
☐ a) J'ai oublié ce qui s'est passé à mon travail.

- [x] b) Il peut m'arriver d'être préoccupé par ce qui s'est passé à mon travail.
- [ ] c) J'ai de la difficulté à décrocher de mon travail.
- [ ] d) Je passe mes soirées à penser à mon travail et à en parler.

5 - Mis à part mon emploi principal :
- [ ] a) J'ai toujours eu plusieurs autres petits emplois rémunérés.
- [ ] b) J'ai toujours eu un autre emploi rémunéré.
- [ ] c) J'ai parfois eu un autre emploi rémunéré.
- [ ] d) Je n'ai jamais eu d'autres emplois rémunérés.

6 - Mon travail est ma :
- [ ] a) Première priorité.
- [x] b) Une de mes premières priorités.
- [ ] c) Une priorité parmi d'autres.
- [ ] d) Ma dernière priorité.

7 - Je gagne le million à la loterie :
- [x] a) J'arrête de travailler immédiatement.
- [ ] b) Je demande un congé et je prends le temps de réfléchir à ce que j'aimerais faire dans la vie.
- [ ] c) Je garde mon travail, mais j'arrête de faire des heures supplémentaires et je demande de plus longues vacances.
- [ ] d) Je ne change rien à mes habitudes de travail.

8 - J'ai une bonne grippe :
- [x] a) Je vais travailler quand même.
- [ ] b) Si je suis vraiment malade, il peut m'arriver de rester au lit, mais il faut que je sois vraiment malade.
- [ ] c) Je prends une journée de congé et je prévois retourner au travail le lendemain.
- [ ] d) Je reste au lit et j'avertis mon patron que je ne sais pas quel sera le moment de mon retour.

9 - Ma conjointe m'a déjà reproché de trop travailler :
- [ ] a) Souvent.
- [x] b) Quelquefois.
- [ ] c) Rarement.
- [ ] d) Elle me reproche plutôt l'inverse.

10 - Je voudrais :
- [ ] a) Que les vacances durent toute l'année.
- [x] b) Que les fins de semaine aient trois jours.
- [ ] c) Que les journées soient plus longues.
- [ ] d) Que les journées aient trente-six heures et les semaines, huit jours.

11 - Je fais des heures supplémentaires :

- ❑ a) Tous les jours.
- ❑ b) Toutes les semaines.
- ❑ c) Tous les mois.
- ❑ d) Celui ou celle qui va me faire faire des heures supplémentaires n'est pas né!

12 - Les gens qui n'ont pas de travail sont :

- ❑ a) Des gens qui ne veulent pas travailler.
- ❑ b) Parfois des gens qui ne veulent pas travailler, parfois des malchanceux.
- ❑ c) Des malchanceux.
- ❑ d) Des chanceux.

13 - Durant la fin de semaine :

- ❑ a) Je me repose.
- ❑ b) Je me repose et je passe du temps en famille.
- ❑ c) J'en profite pour faire des travaux d'entretien (ménage, lavage, tonte du gazon, etc.).
- ❑ d) J'en profite pour travailler sur des dossiers en souffrance.

14 - Mes proches disent de moi que je suis surtout :

- ❑ a) Un bourreau de travail.
- ❑ b) Un bon travailleur.
- ❑ c) Un bon vivant.
- ❑ d) Un fainéant.

15 - Je passe une journée à ne rien faire, je me sens :

- ❑ a) Terriblement heureux.
- ❑ b) Plutôt bien.
- ❑ c) Coupable.
- ❑ d) Je ne suis pas capable de passer une journée à ne rien faire.

CALCUL DES RÉSULTATS

Aux questions 1-2-4-7-10-13-15

Pour chaque A, donnez-vous 0 point.
Pour chaque B, donnez-vous 1 point.
Pour chaque C, donnez-vous 2 points.
Pour chaque D, donnez-vous 3 points.

Aux questions 3-5-6-8-9-11-12-14

Pour chaque A, donnez-vous 3 points.
Pour chaque B, donnez-vous 2 points.
Pour chaque C, donnez-vous 1 point.
Pour chaque D, donnez-vous 0 point.

INTERPRÉTATION DES RÉSULTATS

Vous avez obtenu :

- **de 0 à 12 points :**

Vraiment, on ne peut pas dire que vous êtes un bourreau de travail. J'espère que vous avez une fortune de famille sinon vous devez avoir quelquefois de la difficulté à joindre les deux bouts. Se pourrait-il que l'être aimé vous reproche votre peu d'ardeur à la tâche (et je ne parle pas du sexe)?

- **de 13 à 25 points :**

Pour vous, le travail c'est d'abord et avant tout un moyen de gagner sa vie. Vous acceptez le fait de travailler mais si vous aviez la chance de pouvoir dire adieu à votre patron, vous ne vous laisseriez pas tenter bien longtemps. Vous n'êtes pas paresseux, mais vous mettez vos priorités ailleurs.

- **de 26 à 35 points :**

Le travail est une composante importante de votre vie. Vous aimez probablement ce que vous faites dans la vie et vous en retirez sans doute de la satisfaction. Il peut vous arriver d'avoir de la difficulté à décrocher de vos activités professionnelles mais vous faites attention à ce que cela ne vous arrive pas trop souvent. Vous êtes ce qu'on appelle communément un bon travailleur, mais pas un esclave du travail.

- **de 35 à 40 points :**

Vous ne vivez peut-être pas pour votre travail, mais c'est tout juste. Vous êtes probablement du style à rapporter des dossiers du bureau et à annuler votre souper d'anniversaire de mariage parce que vous avez un «rush» de dernière minute! Il serait surprenant que vous teniez compte de votre santé dans tout cela. Le travail n'a jamais tué personne, dites-vous? Peut-être, mais il en a épuisé plusieurs...

- **de 41 à 45 points :**

Vous êtes le bourreau de travail par excellence. Votre ou vos employeurs doivent sûrement vous adorer. Je ne suis pas sûr que votre conjoint(e) vous trouve aussi adorable. Il ou elle se plaint peut-être que vous n'êtes jamais là. Quant à vous, dans le tourbillon où vous êtes, je ne suis pas certaine que vous vous apercevez de ce qui se passe. Il serait temps pour vous de vous arrêter quelques moments pour voir où vous en êtes rendu. Mais en êtes-vous capable? Vous seul pouvez répondre à cette question.

APPRENDRE À DÉLÉGUER

Si vous avez l'impression de ne jamais avoir une minute à vous, d'être toujours à la course et au bord de l'épuisement, il serait sans doute temps que vous réagissiez. Non seulement pour votre couple et votre vie sexuelle, si elle vous affecte, mais aussi et surtout pour vous et votre santé. Le premier pas vers l'équilibre est d'apprendre à déléguer.

Les bourreaux de travail sont souvent des personnes qui s'obligent à tout faire elles-mêmes. Elles ne savent pas déléguer. Leur argument massue? «Si je demande à quelqu'un d'autre d'effectuer telle ou telle tâche, ce ne sera pas fait comme moi je l'aurais fait.» Elles ont raison. Il est évident que si l'on fait faire, par exemple, notre ménage par un autre, cette personne le fera différemment de nous. Mais est-ce que cela signifie que le ménage sera mal fait? Pas nécessairement. Au contraire, il sera peut-être mieux fait.

Si vous avez l'impression de ne jamais avoir une minute à vous, d'être toujours à la course et au bord de l'épuisement, il serait sans doute temps que vous réagissiez. Non seulement pour votre couple et votre vie sexuelle, si elle vous affecte, mais aussi et surtout, pour vous et votre santé. Le premier pas vers l'équilibre est d'apprendre à déléguer.

Bien sûr, il y a certaines choses qu'il faut que vous fassiez vous-même. Mais vous ne me ferez pas croire que vous devez tout faire vous-même. Pour vous aider à voir où sont vos priorités, dressez la liste de vos différentes tâches. À côté de chacune de celles-ci, inscrivez son ordre de priorité (de 1 à 5). Par exemple, vous présenter au bureau à tous les matins peut être coté 1, tandis que la toilette de l'automobile peut être cotée 4. Maintenant, examinez votre liste. Les priotirés 1-2 et même 3 demandent probablement que vous vous en occupiez vous-même. Par contre, vous vous apercevrez sans doute que les priorités 4 et 5 peuvent être confiées à quelqu'un d'autre.

Vous en doutez? Faites-en l'essai. Et rappelez-vous que ce n'est pas parce qu'une tâche est faite différemment qu'elle est mal faite. Cela peut même être le contraire.

L'importance des enfants

La majorité d'entre nous désirent, un jour ou l'autre, avoir un enfant. Lorsque celui-ci arrive, on s'aperçoit qu'un enfant c'est beau, mais qu'il prend beaucoup de place. Notre vie se transforme, c'est inévitable. Il est aussi parfaitement normal, durant les premiers mois qui suivent la grossesse, que la vie sexuelle du couple soit chambardée. La femme aura un désir sexuel inexistant ou presque, alors que l'homme se sentira peut-être un peu spectateur de la relation privilégiée qui existe entre sa compagne et son enfant. Toutefois, après un certain temps (de six mois à un an) la situation devrait revenir à la normale.

Si tel n'est pas le cas, c'est peut-être que la femme en devenant mère a oublié ses besoins de femme. Mais c'est peut-être aussi que le couple a fait de l'enfant le centre de son univers et n'est plus capable de se retrouver en tant que couple. J'en entends certains penser : «C'est ça, elle nous dit d'abandonner nos enfants!» Rassurez-vous, ce n'est pas mon intention Il faut s'occuper de ses enfants, mais le couple aussi a besoin qu'on s'en soucie. Et je me permets de vous faire remarquer que le centre d'un foyer ce n'est pas l'enfant, c'est le couple. En effet, avant l'enfant, il y avait le couple, après l'enfant, il y aura encore le couple, à moins que vous ne vous soyez perdus de vue et que vingt ans plus tard vous ne soyez devenus des étrangers l'un pour l'autre.

Quelle importance accordez-vous à votre ou vos enfants? Je sais, il s'agit d'une question délicate, mais qu'il peut être très utile d'examiner. On se retrouve dans quelques pages.

N.B. Si vous n'avez pas d'enfant, vous pouvez quand même faire le test. Servez-vous de votre imagination. Cela vous donnera une idée de vos réactions si vous aviez vraiment un ou deux rejetons.

L'IMPORTANCE DES ENFANTS (MADAME)

1 - J'ai déjà eu peur que les enfants nous entendent faire l'amour :
- ☒ a) Oui, souvent.
- ☐ b) Non, jamais.
- ☐ c) Quelquefois.

2 - Selon moi, les besoins des enfants doivent toujours passer en premier :
- ☐ a) Oui.
- ☐ b) Non.
- ☒ c) Cela dépend du besoin.

3 - Le but de la vie à deux est de fonder un foyer et d'avoir un ou des enfants :
- ☒ a) Je suis d'accord.
- ☐ b) Je ne suis pas d'accord.
- ☐ c) S'il n'y a pas d'enfant, il faut beaucoup d'amour.

4 - Depuis que j'ai un ou des enfants, la sexualité n'est plus aussi importante :
- ☐ a) C'est l'évidence.
- ☐ b) Non, c'est comme avant.
- ☐ c) Cela dépend des périodes. Fatiguée, je n'ai pas vraiment de désir. Dans les autres moments, c'est comme avant.

5 - Depuis que j'ai un ou des enfants, je me sens surtout :
- ☐ a) Mère.
- ☐ b) Femme.
- ☒ c) Quelquefois mère, quelquefois femme.

6 - Il est important de tout faire pour ne pas traumatiser son enfant :
- ☒ a) Oui.
- ☐ b) Non.
- ☐ c) Ce n'est pas possible de ne pas le traumatiser.

7 - Depuis que nous avons un ou des enfants, toutes nos activités se déroulent avec eux :
- ☐ a) Oui, toutes ou presque toutes.
- ☐ b) Non, loin de là.

- [x] c) Nous avons des activités familiales, mais nous nous gardons une soirée d'amoureux aux deux semaines.

8 - Si je passe une soirée sans les enfants, je me sens :
- [x] a) Très inquiète.
- [ ] b) Je n'y pense pas du tout.
- [ ] c) Je pense à eux mais je me dis qu'ils sont entre bonnes mains.

9 - Si durant la nuit ou au petit matin, notre enfant vient nous rejoindre dans notre lit :
- [ ] a) Nous le plaçons entre nous deux pour qu'il se sente en sécurité.
- [x] b) Nous le renvoyons dans sa chambre.
- [ ] c) Il peut nous arriver de le garder avec nous.

10 - Si j'ai un surplus dans mon budget, je l'utilise :
- [ ] a) Pour les enfants.
- [ ] b) Pour mon conjoint et moi.
- [x] c) Cela dépend des priorités du moment.

11 - Je trouve que les parents qui passent des vacances sans leurs enfants :
- [x] a) Sont de mauvais parents.
- [ ] b) Font très bien d'en profiter.
- [ ] c) S'ils en passent une partie avec les enfants, je pense qu'ils font bien. S'ils se réservent toutes leurs vacances pour eux seuls, ils sont bien égoïstes.

12 - Quand une femme a un enfant, il est normal :
- [ ] a) Qu'elle ne veuille plus rien savoir de la sexualité.
- [ ] b) Qu'elle ait du désir et qu'elle recommence sa vie sexuelle active le plus rapidement possible.
- [x] c) Qu'elle ait moins de désir durant les premiers mois qui suivent l'accouchement.

13 - Une femme sans enfant :
- [ ] a) N'est pas une vraie femme.
- [ ] b) Est comme un poisson sans bicyclette.
- [ ] c) Si elle ressent fortement le besoin d'avoir un enfant, elle peut se sentir malheureuse. Sinon, elle peut quand même avoir une vie heureuse et équilibrée.

14 - Lorsqu'on se marie, c'est :
- [ ] a) Pour avoir des enfants.
- [ ] b) Pour être heureux à deux et payer moins d'impôts.
- [x] c) D'abord pour être heureux; ensuite, si on le désire et qu'on s'en sente capable, avoir des enfants.

15 - Un enfant peut rapprocher un couple :
❑ a) Oui.
❑ b) Non.
■ c) Cela dépend. Si le couple va bien, l'arrivée de l'enfant peut consolider davantage cette union. Mais si le couple va mal, ce n'est pas un enfant qui va le sauver.

❦❦❦

L'IMPORTANCE DES ENFANTS (MONSIEUR)

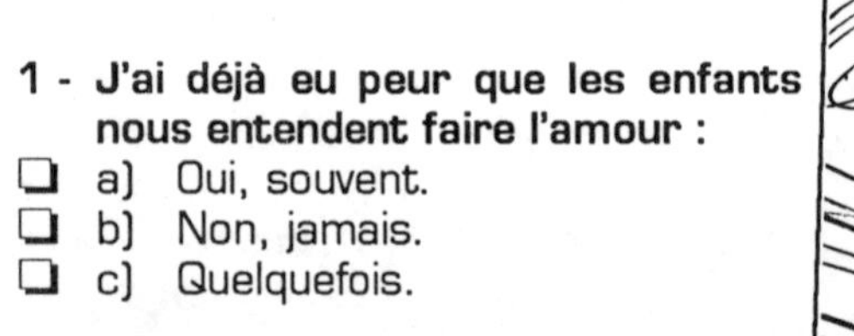

1 - J'ai déjà eu peur que les enfants nous entendent faire l'amour :
❑ a) Oui, souvent.
❑ b) Non, jamais.
❑ c) Quelquefois.

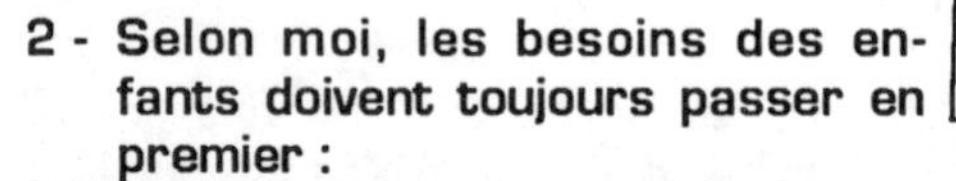

2 - Selon moi, les besoins des enfants doivent toujours passer en premier :
❑ a) Oui.
❑ b) Non.
❑ c) Cela dépend du besoin.

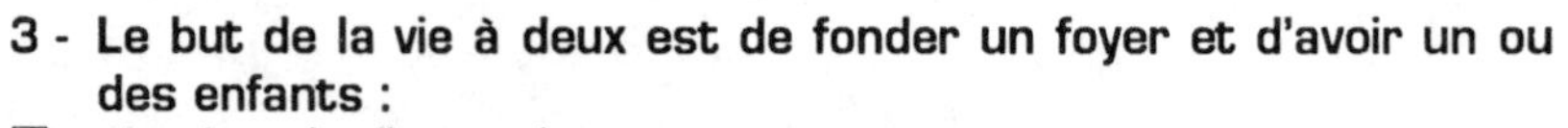

3 - Le but de la vie à deux est de fonder un foyer et d'avoir un ou des enfants :
❑ a) Je suis d'accord.
❑ b) Je ne suis pas d'accord.
❑ c) S'il n'y a pas d'enfant, il faut beaucoup d'amour.

4 - Depuis que j'ai un ou des enfants, la sexualité n'est plus aussi importante :
❑ a) C'est l'évidence.
❑ b) Non, c'est comme avant.
❑ c) Cela dépend des périodes. Si ma femme est fatiguée, il faut oublier ça. Dans les autres cas, c'est comme avant.

5 - Depuis que j'ai un ou des enfants, je me sens surtout :
❑ a) Père.
❑ b) Homme.
❑ c) Quelquefois père, quelquefois homme.

6 - Il est important de tout faire pour ne pas traumatiser son enfant :

- ❑ a) Oui.
- ❑ b) Non.
- ❑ c) Ce n'est pas possible de ne pas le traumatiser.

7 - Depuis que nous avons un ou des enfants, toutes nos activités se déroulent avec eux :

- ❑ a) Oui, toutes ou presque toutes.
- ❑ b) Non, loin de là.
- ❑ c) Nous avons des activités familiales, mais nous nous gardons une soirée d'amoureux aux deux semaines.

8 - Si je passe une soirée sans les enfants, je me sens :

- ❑ a) Très inquiet.
- ❑ b) Je n'y pense pas du tout.
- ❑ c) Je pense à eux mais je me dis qu'ils sont entre bonnes mains.

9 - Si durant la nuit ou au petit matin notre enfant vient nous rejoindre dans notre lit :

- ❑ a) Nous le plaçons entre nous deux pour qu'il se sente en sécurité.
- ❑ b) Nous le renvoyons dans sa chambre.
- ❑ c) Il peut nous arriver de le garder avec nous.

10 - Si j'ai un surplus dans mon budget, je l'utilise :

- ❑ a) Pour les enfants.
- ❑ b) Pour ma conjointe et moi.
- ❑ c) Cela dépend des priorités du moment.

11 - Je trouve que les parents qui passent des vacances sans leurs enfants :

- ❑ a) Sont de mauvais parents.
- ❑ b) Font très bien d'en profiter.
- ❑ c) S'ils en passent une partie avec les enfants, je pense qu'il font bien. S'ils se réservent toutes leurs vacances pour eux seuls, ils sont bien égoïstes.

12 - Quand une femme a un enfant, il est normal :

- ❑ a) Qu'elle ne veuille plus rien savoir de la sexualité.
- ❑ b) Qu'elle ait du désir et qu'elle recommence sa vie sexuelle active le plus rapidement possible.
- ❑ c) Qu'elle ait moins de désir durant les premiers mois qui suivent l'accouchement.

13 - Un homme sans enfant :

❑ a) N'est pas un vrai homme.
❑ b) Est comme un poisson sans bicyclette.
❑ c) S'il ressent fortement le besoin d'avoir un enfant, il peut se sentir malheureux. Sinon, il peut quand même avoir une vie heureuse et équilibrée.

14 - Lorsqu'on se marie, c'est :
❑ a) Pour avoir des enfants.
❑ b) Pour être heureux à deux et payer moins d'impôts.
❑ c) D'abord pour être heureux; ensuite, si on le désire et qu'on s'en sente capable, avoir des enfants.

15 - Un enfant peut rapprocher un couple :
❑ a) Oui.
❑ b) Non.
❑ c) Cela dépend. Si le couple va bien, l'arrivée de l'enfant peut consolider davantage cette union. Mais si le couple va mal, ce n'est pas un enfant qui va le sauver.

CALCULEZ VOS RÉSULTATS

Pour chaque A, accordez-vous 1 point.
Pour chaque B, accordez-vous 3 points.
Pour chaque C, accordez-vous 2 points.

INTERPRÉTATION DES RÉSULTATS

Vous avez obtenu :

- **Entre 15 et 20 points :**

Le moins qu'on puisse dire, c'est que vous aimez votre progéniture. Mais vous ne trouvez pas que vous en faites un peu trop? Que ferez-vous lorsqu'ils n'y seront plus? On peut être un bon parent et se garder un peu de temps pour soi.

- **Entre 21 et 30 points :**

Votre vie est probablement axée autour des enfants. Pour vous, un foyer sans enfant n'est pas un vrai foyer. Vous aimeriez vous réserver du temps à deux, mais vous ne voyez sans doute pas où vous le trouveriez sans priver les enfants. Aussi, la plupart du temps, vous vous faites passer en dernier. Et lorsque, exceptionnellement, vous vous décidez à sortir en amoureux, ce n'est pas sans un léger remords.

- **Entre 31 et 40 points :**

Les enfants sont importants mais ne sont pas le centre de votre vie. Vous les aimez, vous vous en occupez mais vous ne vous oubliez pas pour autant. Avant d'être un père ou une mère, vous êtes un homme ou une femme et vous avez des besoins d'homme ou de femme.

- **Entre 41 et 45 points :**

Les enfants ne sont pas votre priorité. Cela ne veut pas dire que vous n'en prenez pas soin, mais pour vous les enfants ne doivent pas déranger votre vie. Ils sont un complément possible à votre vie de couple et non un élément essentiel. D'ailleurs, vous le dites peut-être vous-même, vous pourriez très bien vivre sans enfant.

UN PROBLÈME DE FEMMES?

Aborder la question des enfants, c'est toujours délicat. Tous et toutes nous voulons être de bons parents. C'est normal et naturel. Mais être un bon père, être une bonne mère, est-ce que cela signifie qu'on s'oublie complètement?

La majorité des hommes ne vivent pas ce problème. Ils ont été éduqués en sachant qu'un jour ils seraient peut-être pères, mais que cela ne les empêcherait pas d'avoir d'autres intérêts. Du côté des femmes, c'est un peu différent. Notre corps ainsi que notre éducation nous amènent parfois à nous définir d'abord comme mère. Certaines prennent ce rôle tellement au sérieux qu'elles ne se perçoivent même plus comme des femmes ayant des besoins de femme. Elles sont centrées autour de leur enfant et traitent leur mari un peu comme leur «plus vieux». Il faut avouer que certains hommes (pas tous) se conduisent aussi comme des gamins. Il est rare qu'une mère ait le goût de faire l'amour avec son petit gars. Si c'est votre cas, c'est le moment ou jamais de réagir. Réapprenez à vous réserver du temps pour vous, à vous occuper de votre petite personne. Recommencez à penser à vous comme à une femme et non seulement comme à une maman.

Vous pensez avoir de la difficulté? Pourtant, c'est essentiel que vous le fassiez. Pas juste pour vous ni pour votre couple, mais aussi pour vos enfants. Rappelez-vous qu'ils apprennent par l'exemple. Si vous leur montrez l'image d'une mère martyre, ils n'auront pas vraiment le goût de vous ressembler. Mais si vous êtes une femme relativement épanouie et heureuse, vos filles voudront être comme vous et vos fils désireront rencontrer une femme de votre genre. Et ils espéreront vivre une vie de couple aussi heureuse que celle de leurs parents.

Avez-vous suffisamment d'intimité?

Ah l'intimité! Se retrouver tous les deux seuls, face à face, se faire les yeux doux, avoir envie l'un de l'autre, s'étendre sur le lit, se sentir isolés du reste du monde et heureux de l'être, profiter de ce moment privilégié pour se rapprocher, parler d'amour, faire l'amour, c'est cela l'intimité. Je suis bien d'accord avec vous, c'est cela mais c'est aussi autre chose. Car s'il y a l'intimité au lit, il y a aussi l'intimité debout. Et si la première est essentielle à notre bonheur conjugal, la seconde est aussi primordiale à l'harmonie de notre couple.

Malheureusement, il s'agit souvent d'une dimension que l'on a tendance à négliger. On a l'impression que, puisqu'on vit ensemble, on n'a pas vraiment besoin de se réserver des moments à deux. On laisse au hasard le soin de provoquer nos rencontres d'amoureux. Quelquefois, comme ont dit communément, le hasard fait bien les choses, mais ce n'est pas toujours le cas.

Les conséquences d'une absence d'intimité sont, la plupart du temps, beaucoup plus importantes qu'on peut le croire. Ces rencontres, sans parents, sans enfants, sans amis, permettent au couple de ne pas se perdre de vue. Elles donnent aussi l'occasion aux deux partenaires de partager du plaisir ensemble. En effet, lorsque nous rencontrons quelqu'un, ce que nous partageons avec lui ou elle, ce n'est pas une hypothèque ou le compte d'électricité, c'est d'abord et avant tout du plaisir!

Avez-vous suffisamment de moments d'intimité dans votre vie de couple? Pour le savoir, répondez au prochain test.

AVEZ-VOUS SUFFISAMMENT D'INTIMITÉ? (MADAME)

1 - Nous sommes tous les deux seuls à la maison. Nous avons prévu passer une soirée d'amoureux. Le téléphone sonne. C'est Roger, mon beau-frère. Il nous demande ce que nous faisons ce soir :

☐ a) Je l'invite à prendre un café.
☐ b) Je lui dis que nous faisons du ménage.
■ c) Je lui réponds que nous sommes occupés.
☐ d) Mon beau-frère Roger ne s'inviterait pas à la dernière minute.

2 - Il nous arrive de partir ensemble en week-end d'amoureux :

☐ a) Trois ou quatre fois par année.
■ b) Une ou deux fois par année.
☐ c) Moins d'une fois par année.
☐ d) Nous ne l'avons jamais fait.

3 - Nous faisons des sorties d'amoureux (seuls, sans enfants, sans parents) :

■ a) Régulièrement (toutes les semaines).
☐ b) Une fois de temps en temps (une fois par mois).
☐ c) Rarement (deux ou trois fois par année).
☐ d) Jamais.

4 - La porte de notre chambre à coucher :

☐ a) Est toujours ouverte.
☐ b) Est fermée mais les enfants y entrent sans frapper.
■ c) Est fermée et les enfants doivent frapper avant d'entrer.
☐ d) Est munie d'un loquet dont nous nous servons.

5 - Si un ami ou un parent me demande un service :

☐ a) Je ne dis jamais non.
☐ b) Je dis rarement non.
■ c) Il m'arrive de dire non.
☐ d) Je dis non.

6 - Nous avons prévu d'aller au cinéma vendredi soir prochain. Ma soeur m'appelle et elle aimerait que nous allions souper chez elle ce soir-là :

- ☐ a) Je la remercie mais refuse son invitation en lui expliquant que nous avions prévu d'aller au cinéma.
- ☐ b) Je la remercie mais refuse son invitation en lui racontant que je dois aller chez le médecin ce soir-là.
- ☐ c) Je l'invite, elle et son mari, à nous accompagner au cinéma.
- ☐ d) J'accepte son invitation.

7 - Nous sommes au chalet. Nous nous préparons à profiter de cette belle journée. Des amis arrivent à l'improviste :

- ☐ a) Je sors les steaks du congélateur.
- ☐ b) Je leur offre un rafraîchissement, les invite à se baigner et les informe qu'il y a un snack-bar qui vend d'excellents hot-dogs.
- ☐ c) Je les reçois sans plus.
- ☐ d) Nos amis n'oseraient pas s'imposer ainsi.

8 - Nous passons des vacances d'amoureux (une semaine ou plus) :

- ☐ a) Tous les ans.
- ☐ b) Tous les deux ou trois ans.
- ☐ c) Moins d'une fois par cinq ans.
- ☐ d) Nous ne l'avons jamais fait.

9 - Nous avons des activités sociales :

- ☐ a) Régulièrement.
- ☐ b) Une fois de temps en temps.
- ☐ c) Rarement.
- ☐ d) Jamais.

10 - Les amis et parents entrent dans notre maison :

- ☐ a) Comme dans un moulin.
- ☐ b) En passant.
- ☐ c) Sur invitation.
- ☐ d) Ils ne viennent pas chez nous.

11 - Nous aimons surtout :

- ☐ a) Les partys où il y a plein de gens.
- ☐ b) Les soupers avec des amis.
- ☐ c) Les soupers familiaux.
- ☐ d) Les soupers en tête à tête.

12 - Si nous sortons sans les enfants, je me sens :

- ☐ a) Bien.
- ☐ b) Un peu inquiète.
- ☐ c) Assez inquiète.
- ☐ d) Nous ne sortons jamais sans les enfants.

13 - Selon moi, un couple qui vit ensemble depuis plusieurs années :

❑ a) Se connaît assez pour ne pas avoir besoin de se réserver de moments à deux.
❑ b) S'il en ressent le besoin, peut se retrouver à deux.
❑ c) A besoin parfois d'une sortie de couple.
❑ d) A besoin régulièrement de moments à deux.

14 - L'idée de passer une soirée seule avec mon conjoint :

❑ a) M'enchante.
❑ b) M'intéresse.
❑ c) M'ennuie.
❑ d) Ne me viendrait pas à l'idée.

15 - Nous désirons aller passer quelques jours au soleil :

❑ a) Nous organisons un groupe. Plus il y a de fous, plus on s'amuse!
❑ b) Nous partons avec les enfants.
❑ c) Nous partons avec un couple d'amis.
❑ d) Nous partons en amoureux.

❦❦❦

AVEZ-VOUS SUFFISAMMENT D'INTIMITÉ? (MONSIEUR)

1 - Nous sommes tous les deux seuls à la maison. Nous avons prévu passer une soirée d'amoureux. Le téléphone sonne. C'est Roger, mon beau-frère. Il nous demande ce que nous faisons ce soir :

❑ a) Je l'invite à prendre un café.
❑ b) Je lui dis que nous faisons du ménage.
❑ c) Je lui réponds que nous sommes occupés.
❑ d) Mon beau-frère Roger ne s'inviterait pas à la dernière minute.

2 - Il nous arrive de partir ensemble en week-end d'amoureux :

❑ a) Trois ou quatre fois par année.

- ☐ b) Une ou deux fois par année.
- ☐ c) Moins d'une fois par année.
- ☐ d) Nous ne l'avons jamais fait.

3 - Nous faisons des sorties d'amoureux (seuls, sans enfants, sans parents)
- ☐ a) Régulièrement (toutes les semaines).
- ☐ b) Une fois de temps en temps (une fois par mois).
- ☐ c) Rarement (deux ou trois fois par année).
- ☐ d) Jamais.

4 - La porte de notre chambre à coucher :
- ☐ a) Est toujours ouverte.
- ☐ b) Est fermée mais les enfants y entrent sans frapper.
- ☐ c) Est fermée et les enfants doivent frapper avant d'entrer.
- ☐ d) Est munie d'un loquet dont nous nous servons.

5 - Si un ami ou un parent me demande un service :
- ☐ a) Je ne dis jamais non.
- ☐ b) Je dis rarement non.
- ☐ c) Il m'arrive de dire non.
- ☐ d) Je dis non.

6 - Nous avons prévu d'aller au cinéma vendredi soir prochain. Ma soeur m'appelle et elle aimerait que nous allions souper chez elle ce soir-là :
- ☐ a) Je la remercie mais refuse son invitation en lui expliquant que nous avions prévu d'aller au cinéma.
- ☐ b) Je la remercie mais refuse son invitation en lui racontant que je dois aller chez le médecin ce soir-là.
- ☐ c) Je l'invite, elle et son mari, à nous accompagner au cinéma.
- ☐ d) J'accepte son invitation.

7 - Nous sommes au chalet. Nous nous préparons à profiter de cette belle journée. Des amis arrivent à l'improviste :
- ☐ a) Je sors les steaks du congélateur.
- ☐ b) Je leur offre un rafraîchissement, les invite à se baigner et les informe qu'il y a un snack-bar qui vend d'excellents hot-dogs.
- ☐ c) Je les reçois sans plus.
- ☐ d) Nos amis n'oseraient pas s'imposer ainsi.

8 - Nous passons des vacances d'amoureux (une semaine ou plus) :
- ☐ a) Tous les ans.
- ☐ b) Tous les deux ou trois ans.
- ☐ c) Moins d'une fois par cinq ans.
- ☐ d) Nous ne l'avons jamais fait.

9 - Nous avons des activités sociales :

- ❑ a) Régulièrement.
- ❑ b) Une fois de temps en temps.
- ❑ c) Rarement.
- ❑ d) Jamais.

10 - Les amis et parents entrent dans notre maison :

- ❑ a) Comme dans un moulin.
- ❑ b) En passant.
- ❑ c) Sur invitation.
- ❑ d) Ils ne viennent pas chez nous.

11 - J'aime surtout :

- ❑ a) Les partys où il y a plein de gens.
- ❑ b) Les soupers avec des amis.
- ❑ c) Les soupers familiaux.
- ❑ d) Les soupers en tête à tête.

12 - Si nous sortons sans les enfants, je me sens :

- ❑ a) Bien.
- ❑ b) Un peu inquiet.
- ❑ c) Assez inquiet.
- ❑ d) Nous ne sortons jamais sans les enfants.

13 - Selon moi, un couple qui vit ensemble depuis plusieurs années :

- ❑ a) Se connaît assez pour ne pas avoir besoin de se réserver de moments à deux.
- ❑ b) S'il en ressent le besoin, peut se retrouver à deux.
- ❑ c) A besoin parfois d'une sortie de couple.
- ❑ d) A besoin régulièrement de moments à deux.

14 - L'idée de passer une soirée seul avec ma conjointe :

- ❑ a) M'enchante.
- ❑ b) M'intéresse.
- ❑ c) M'ennuie.
- ❑ d) Ne me viendrait pas à l'idée.

15 - Nous désirons aller passer quelques jours au soleil :

- ❑ a) Nous organisons un groupe. Plus il y a de fous, plus on s'amuse!
- ❑ b) Nous partons avec les enfants.
- ❑ c) Nous partons avec un couple d'amis.
- ❑ d) Nous partons en amoureux.

CALCULEZ LES RÉSULTATS

Pour les questions 1-4-5-7-10-11-13-15

Si vous avez répondu A, donnez-vous 0 point.
Si vous avez répondu B, donnez-vous 1 point.
Si vous avez répondu C, donnez-vous 2 points.
Si vous avez répondu D, donnez-vous 3 points.

Pour les questions 2-3-6-8-9-12-14

Si vous avez répondu A, donnez-vous 3 points.
Si vous avez répondu B, donnez-vous 2 points.
Si vous avez répondu C, donnez-vous 1 point.
Si vous avez répondu D, donnez-vous 0 point.

INTERPRÉTATION DES RÉSULTATS

- **Entre 0 et 15 points :**

Ce n'est pas l'intimité qui vous étouffe. Ou vous évitez tout simplement de vous retrouver seuls de peur que des conflits surgissent, ou vous n'êtes plus intéressés à faire des choses à deux, ou vous vous êtes laissé envahir par les parents, les amis et les responsabilités de toutes sortes. Il est grandement temps que vous fassiez une mise au point sur l'état de votre couple.

- **Entre 16 et 25 points :**

Vous pouvez avoir de l'intimité, mais il semble que ce soit difficile pour vous d'y arriver. Ou vous ne trouvez pas le temps ou il y a toujours quelque chose qui vous empêche de mettre vos beaux plans à exécution. Vous savez, ce n'est pas parce qu'on dit «non» quelquefois qu'on devient un égoïste de la pire espèce.

- **Entre 26 et 35 points :**

Les sorties à deux font probablement partie de votre vie, mais ne sont pas votre priorité. Si vous êtes capables d'apprécier une soirée d'amoureux, d'un autre côté vous êtes d'abord un être social et (ou) familial. Vous vous sentez à l'aise en groupe et vous aimez la compagnie des autres. Faites juste un peu attention de ne pas trop vous éparpiller. Vous finiriez par manquer de temps pour vous deux.

- **Entre 36 et 45 points :**

Pour vous, l'intimité, c'est quelque chose de très important. Vous n'êtes pas antisocial, mais entre un party et un repas romantique, c'est le repas que vous choisissez. Vous aimez vous retrouver seul(e) avec l'autre et vous vous organisez pour que cela arrive. Par hasard, se pourrait-il que vos parents et amis vous appellent «les amoureux»?

MANQUE D'INTIMITÉ ET PROBLÈMES SEXUELS

Dans ma pratique j'ai souvent remarqué que les personnes qui me consultaient faisaient souvent partie de couples où l'intimité était absente. C'est un peu normal. Quand on ne se sent pas bien au lit ensemble, on s'organise pour éviter les occasions de rapprochement. Cela se fait la plupart du temps sans qu'on s'en aperçoive vraiment. Avec pour résultat, qu'on ne se retrouve pratiquement plus jamais seul.

Les couples qui manquent d'intimité «debout» ont certaines caractéristiques en commun. Ils se laissent envahir par les autres. C'est le genre de personnes chez qui on arrive sans s'annoncer. Comme ils nous reçoivent fort bien, on est certain de ne pas les déranger. Pour eux, quand il y en a pour 2, il y en a pour 4, il y en a pour 5, il y en a pour 10!

Ce sont aussi des couples qui ne sortent jamais seuls. Ils sont toujours soit avec les enfants, soit avec des parents, soit avec des amis. Lorsque, par hasard, ils se retrouvent à deux, ils ne savent pas quoi se dire. Dans le meilleur des cas, ils s'ennuient; dans le pire, ils finissent par s'engueuler.

Enfin, les couples sans intimité ne s'aperçoivent souvent même pas qu'ils auraient besoin de ces moments privilégiés. Ils ont l'impression que tout le monde fonctionne comme eux. Ils ne voient pas ce qui leur manque et lorsqu'ils en prennent conscience, ils ne savent pas comment s'y prendre pour recréer cette intimité.

QUELQUES SUGGESTIONS

Pour ceux et celles qui se reconnaissent dans ces couples sans intimité, voici quelques suggestions qui pourraient s'avérer utiles :

- Réservez-vous une soirée par semaine que vous passerez en amoureux, sans parents, sans amis, sans enfants.

- Vous ne savez pas quoi faire la première fois? Pour inaugurer vos rendez-vous intimes, refaites un type de sortie que vous faisiez au temps de vos fréquentations. Profitez-en pour vous rappeler des souvenirs agréables.

- Prenez de façon alternative la responsabilité de l'organisation de ces soirées. Une semaine, c'est le tour de Madame, l'autre, c'est celui de Monsieur. Vous verrez, cela crée un effet amusant dans le couple. On se demande toujours ce que l'autre va inventer.

- Ne dépensez pas des fortunes pour ces soirées. Si c'est trop dur pour le portefeuille, vous allez arrêter très vite ces soirées d'amoureux.

- Préparez chacun une liste des activités que vous aimeriez faire ensemble. Inscrivez chacune de ces activités sur un bout de papier. Mettez-les dans un bocal. Si vous ne savez que faire une semaine, pigez au hasard.

- Prenez vos rendez-vous de façon très officielle. Inscrivez-les sur votre calendrier ou dans votre agenda, c'est la meilleure façon de ne pas sauter de semaine.

Avez-vous un problème de toxicomanie?

Parmi les habitudes de vie qui peuvent avoir une influence sur la qualité de notre vie sexuelle, notre consommation d'alcool, de drogues ou de médicaments se retrouve parfois en tête de liste. Je sais bien que certains de ces produits ont la réputation d'avoir des effets aphrodisiaques. Et s'il est vrai qu'un verre de vin ou un «petit joint» peuvent faire disparaître momentanément nos inhibitions, l'usage abusif de ces substances (qu'on les boive, qu'on les avale, qu'on les fume, qu'on les inhale, ou qu'on se les injecte) ne peut être que néfaste pour notre sexualité. Ainsi, l'alcoolisme est une des premières causes d'impuissance chez l'homme de quarante ans et plus. Quant aux adeptes de la cocaïne, ils se dirigent lentement mais sûrement vers l'absence d'orgasme. Évidemment, s'il vous est arrivé une fois de faire l'amour sur la «coke», vous n'avez sans doute vu là qu'un moyen d'augmenter votre plaisir. Et c'est à ce moment-là que vous risquez d'embarquer sur un bateau qui ne vous mènera pas à bon port.

On parle beaucoup des effets négatifs des drogues (j'inclus l'alcool et les médicaments dans ce terme). Toutefois, il ne faudrait pas oublier qu'au départ ces produits ont des effets agréables. La personne qui a pris un «petit coup» se sent insouciante, l'autre qui a «sniffé» sa «ligne de coke» a l'impression d'être un surhomme ou une surfemme. Au début de toute toxicomanie, il y a une découverte : «J'ai trouvé le produit qui va régler tous mes problèmes, qui va me rendre heureux.» Cette perception peut aussi se répercuter dans notre vie sexuelle. Au début, drogue et sexe sembleront faire bon ménage. Mais avec le temps, comme dans les autres domaines de notre vie, la toxicomanie ne pourra que susciter des problèmes.

Lorsqu'une personne entre dans mon bureau c'est, bien sûr, parce qu'elle vit une difficulté sexuelle et qu'elle désire que je l'aide à la résoudre. Si, en cours d'évaluation, je m'aperçois que cette personne a une consommation excessive d'alcool, de médicaments et (ou) de drogue, je refuse de la traiter. Je lui conseille de régler son problème de toxicomanie et de revenir me voir si elle en a encore besoin après un an d'abstinence. Ceci simplement parce qu'on ne peut pas mettre la charrue avant les boeufs. On traite d'abord la toxicomanie et après l'impuissance, ou l'anorgasmie ou le manque de désir.

Êtes-vous toxicomane? Pour le savoir, je vous propose le test des 12 questions des Alcooliques Anonymes. On y parle d'alcool, mais si vous êtes plutôt un «amateur» d'autres substances, remplacez simplement le mot alcool par le nom du ou des produits que vous consommez le plus régulièrement.

QUESTIONNAIRE DES ALCOOLIQUES ANONYMES*

ÊTES-VOUS TOXICOMANE? (MADAME)

1 - Avez-vous pris la résolution de cesser de boire pendant environ une semaine, résolution que vous avez abandonnée après quelques jours?
- ☐ a) Oui.
- ☒ b) Non.

2 - Préférez-vous que les gens se mêlent de leurs affaires concernant votre façon de boire, qu'ils cessent de vous dire quoi faire?
- ☒ a) Oui.
- ☐ b) Non.

3 - Avez-vous déjà passé d'une sorte de boisson alcoolisée à une autre, dans l'espoir d'éviter de vous enivrer?
- ☐ a) Oui.
- ☒ b) Non.

4 - Durant l'année écoulée, avez-vous pris un verre le matin?
- ☐ a) Oui.
- ☒ b) Non.

5 - Enviez-vous les personnes qui peuvent boire sans s'occasionner d'embêtements?
- ☐ a) Oui.
- ☒ b) Non.

6 - Pendant la dernière année, l'alcool vous a-t-il occasionné des problèmes?
- ☐ a) Oui.
- ☒ b) Non.

7 - Votre façon de boire a-t-elle créé des problèmes au foyer?
- ☐ a) Oui.
- ☒ b) Non.

8 - De peur d'en manquer, essayez-vous parfois d'obtenir des verres «EN RÉSERVE» lors d'une réception?
- ☐ a) Oui.
- ☒ b) Non.

9 - Continuez-vous d'affirmer que vous pouvez cesser de boire à volonté, même si vous continuez à vous enivrer sans le vouloir?
- ☐ a) Oui.
- ☐ b) Non.

10 - L'alcool fut-il pour vous une cause d'absentéisme au travail?
- ☐ a) Oui.
- ☒ b) Non.

11 - Avez-vous des trous de mémoire?
- ☐ a) Oui.
- ☒ b) Non.

12 - Avez-vous déjà pressenti que votre vie serait meilleure sans alcool?
- ☐ a) Oui.
- ☒ b) Non.

❦❦❦

ÊTES-VOUS TOXICOMANE?* (MONSIEUR)

1 - Avez-vous pris la résolution de cesser de boire pendant environ une semaine, résolution que vous avez abandonnée après quelques jours?
- ☑ a) Oui.
- ☐ b) Non.

2 - Préférez-vous que les gens se mêlent de leurs affaires concernant votre façon de boire, qu'ils cessent de vous dire quoi faire?
- ☑ a) Oui.
- ☐ b) Non.

3 - Avez-vous déjà passé d'une sorte de boisson alcoolisée à une autre, dans l'espoir d'éviter de vous enivrer?
- ☑ a) Oui.
- ☐ b) Non.

4 - Durant l'année écoulée, avez-vous pris un verre le matin?
- ☑ a) Oui.
- ☐ b) Non.

5 - Enviez-vous les personnes qui peuvent boire sans s'occasionner d'embêtements?
- ☑ a) Oui.
- ☐ b) Non.

6 - Pendant la dernière année, l'alcool vous a-t-il occasionné des problèmes?
- ☑ a) Oui.
- ☐ b) Non.

7 - Votre façon de boire a-t-elle créé des problèmes au foyer?
- ☑ a) Oui.
- ☐ b) Non.

8 - De peur d'en manquer, essayez-vous parfois d'obtenir des verres «EN RÉSERVE» lors d'une réception?
- ☑ a) Oui.
- ☐ b) Non.

9 - Continuez-vous d'affirmer que vous pouvez cesser de boire à volonté, même si vous continuez à vous enivrer sans le vouloir?
- ☑ a) Oui.
- ☐ b) Non.

10 - L'alcool fut-il pour vous une cause d'absentéisme au travail?
- ☐ a) Oui.
- ☑ b) Non.

11 - Avez-vous des trous de mémoire?
- ☑ a) Oui.
- ☐ b) Non.

12 - Avez-vous déjà pressenti que votre vie serait meilleure sans alcool?
- ☐ a) Oui.
- ☑ b) Non.

---

* Les 12 questions ont été reproduites avec la permission de *Alcoholics Anonymous World Services Inc.* La permission de reproduire ces questions ne signifie pas que AA a revu ou approuvé le contenu de ce livre, ou que AA est en accord avec les opinions exprimées dans celui-ci. Ce questionnaire des AA est destiné à la réhabilitation de ceux qui ont des problèmes d'alcoolisme. S'en servir à des fins concernant d'autres programmes si louables soient-ils, n'engage en rien la responsabilité des AA.

Avez-vous répondu OUI quatre fois ou plus?

Dans l'affirmative, vous êtes probablement en difficulté face à l'alcool. Pourquoi disons-nous cela? Parce que des milliers de membres des A.A. l'ont dit depuis plusieurs années. Ils ont trouvé la vérité sur eux-mêmes, et de pénible façon.

Nous sommes inscrits dans l'annuaire téléphonique sous la rubrique Alcooliques anonymes.

Extrait de *Les A.A. sont-ils pour vous?*

VIVRE AVEC UN OU UNE TOXICOMANE

Il n'y a sans doute rien de pire pour l'estime de soi que de vivre avec un conjoint toxicomane. Ces êtres qui, à jeun, sont souvent charmants, pleins de bonnes intentions, s'avèrent être de très habiles manipulateurs. Ils ont l'art de rendre l'être aimé responsable de leurs déboires. Tant et si bien qu'après quelques mois ou quelques années de vie commune, le compagnon du toxicomane est convaincu de ne pas valoir grand-chose.

On a formulé toutes sortes de théories sur la personnalité des époux et épouses d'alcooliques et de toxicomanes. La plus populaire d'entre elles voudrait que l'homme ou la femme qui choisit de faire sa vie avec ce type de personne ne fait que reproduire ce qu'il ou elle a connu enfant dans son milieu familial. De fait, dans les chiffres, on retrouve beaucoup de filles ou de fils d'alcooliques qui deviennent eux-mêmes alcooliques ou qui marient un ou une alcoolique.

De là à dire que ces personnes courent après leur malheur, il n'y a qu'un pas, que je ne franchirai pas. Les motivations humaines sont trop complexes pour qu'on les réduise à un seul facteur. Toutefois, il n'est pas surprenant de voir des gens issus de milieux dysfonctionnels (certains diraient «tout croches»), avoir de la difficulté à bâtir une relation valorisante et satisfaisante.

Si vous êtes conjoint de toxicomane, vous vous demandez sans doute comment faire pour l'aider. Vous avez tout essayé et rien n'a fonctionné. Alors, arrêtez, dites stop! Arrêtez de vivre pour lui ou pour elle. Acceptez que tant qu'il (elle) n'aura pas admis qu'il (elle) est malade, tant qu'il (elle) n'aura pas fait les démarches pour se faire aider et soigner, vous ne pouvez rien pour lui (elle). Ne dépensez plus d'énergie pour le (la) sauver. Gardez cette énergie pour vous. Commencez à vous occuper de vous, de votre petite personne. N'attendez plus que votre conjoint soit heureux pour vous permettre de l'être. Vous méritez le bonheur, point à la ligne. Si il (elle) est toxicomane, ce n'est pas votre faute et il faut que ce soit bien clair dans votre tête.

C'est un beau programme, n'est-ce pas, mais pas facile à faire. Vous aurez peut-être vous aussi besoin d'aide pour parvenir à vous sentir bien dans votre peau. N'hésitez pas à aller la chercher. Après tout, c'est de la qualité de votre vie dont il s'agit.

QUELQUES RÉFÉRENCES UTILES

Alcooliques Anonymes
Montréal (514) 376-9230
Québec (418) 529-0015
Groupe d'entraide
Problèmes d'alcool

Le portage
(514) 939-0202
Centre de désintoxication
Problèmes de drogues

Maison Jean Lapointe
(514) 288-2611
Centre de désintoxication
Problèmes d'alcool et de drogues

Narcotiques Anonymes
Montréal (514) 525-0333
Québec (418) 649-0715
Groupe d'entraide
Problèmes de drogues et de médicaments

Al-Anon
Montréal (514) 729-3034
Québec (418) 522-0473
Groupe d'entraide - conjoints d'alcooliques

Deux bons livres
Vigeant, Yolande, *Espoir pour les Mal-Aimés*, Edimag, 1989.
Pour ceux et celles qui ont grandi dans un foyer dysfonctionnel.

Woititz, Janet G., *Les enfants d'alcooliques à l'âge adulte*, Édimag, 1991.

Partie 3

Votre sexualité

Vos connaissances sexuelles

Vous êtes arrivés au seul questionnaire de ce livre où il y a de bonnes et de mauvaise réponses. En effet, vous allez avoir l'occasion de vérifier l'état de vos connaissances sexuelles. Vous pensez tout savoir sur ce sujet? Vous êtes sûrs de n'avoir que de mauvaises réponses? Faites le test. Vous pourriez avoir des surprises*.

* Je tiens à remercier le Dr Pierre Alarie pour ses commentaires sur ce questionnaire.

VOS CONNAISSANCES SEXUELLES (MADAME)

Répondez par vrai ou faux aux affirmations suivantes :

1 - L'orgasme doit se produire en même temps chez les deux partenaires.
☐ Vrai
☒ Faux

2 - Les femmes préfèrent les hommes qui ont un gros pénis.
☒ Vrai
☐ Faux

3 - Lorsqu'un homme fait l'amour, il peut perdre son érection et la retrouver à plusieurs reprises sans que cela indique un problème d'impuissance.
☐ Vrai
☒ Faux

4 - La lubrification féminine est le premier signe physiologique pour indiquer qu'une femme est excitée sexuellement.
☒ Vrai
☐ Faux

5 - La ménopause n'a pas d'effet direct sur le désir sexuel féminin.
☐ Vrai
☒ Faux

6 - À partir de soixante ans, il est normal qu'un homme soit impuissant.
☐ Vrai
☒ Faux

7 - L'homme éjaculateur précoce est celui qui est incapable de faire jouir sa partenaire par la pénétration.
☒ Vrai
☐ Faux

8 - Plus une femme a d'orgasmes dans une relation sexuelle, plus elle est satisfaite.
☒ Vrai
☐ Faux

9 - Après avoir éjaculé, l'homme ne peut avoir une autre érection avant un certain temps.

☑ Vrai
☐ Faux

10 - L'homme qui a une compagne dans sa vie, avec qui il fait l'amour régulièrement, n'est pas censé se masturber.

☑ Vrai
☐ Faux

11 - Durant la grossesse, certaines femmes ressentent une forte hausse de leur désir sexuel.

☑ Vrai
☐ Faux

12 - L'érection que plusieurs hommes ont à leur réveil est due à l'urine.

☑ Vrai
☐ Faux

13 - Lorsqu'une femme lubrifie (mouille), cela signifie qu'elle est prête pour la pénétration.

☑ Vrai
☐ Faux

14 - Le désir sexuel de l'homme et de la femme est lié à leur niveau hormonal.

☐ Vrai
☑ Faux

15 - L'homme éjaculateur précoce est un égoïste.

☑ Vrai
☐ Faux

16 - La vasectomie peut rendre impuissant.

☐ Vrai
☑ Faux

17 - Le vaginisme est le problème de la femme qui ne peut être pénétrée car elle contracte involontairement les muscles de l'entrée du vagin.

☐ Vrai
☑ Faux

18 - Lorsqu'un homme a une érection, il doit en venir à l'éjaculation, sinon il se sentira tendu et frustré.

☑ Vrai
☐ Faux

19 - Physiologiquement, lors des activités sexuelles, il se passe moins de choses chez la femme que chez l'homme.

❑ Vrai
■ Faux

20 - La jouissance de la femme dépend de la durée de la pénétration.

❑ Vrai
■ Faux

21 - Durant les menstruations, il est préférable de ne pas avoir de relations sexuelles.

❑ Vrai
■ Faux

22 - Dans 30 à 50 p. cent des cas, chez la femme, les douleurs à la pénétration ont une origine organique (physique).

■ Vrai
❑ Faux

23 - Dix pour cent des hommes ont des problèmes d'érection.

❑ Vrai
■ Faux

24 - Toutes les femmes ont un point G (point de jouissance se situant dans le vagin de la femme).

❑ Vrai
■ Faux

25 - L'orgasme vaginal est le seul qui soit véritablement satisfaisant pour la femme.

❑ Vrai
■ Faux

VOS CONNAISSANCES SEXUELLES (MONSIEUR)

Répondez par vrai ou faux aux affirmations suivantes :

1 - L'orgasme doit se produire en même temps chez les deux partenaires.
- ☑ Vrai
- ☐ Faux

2 - Les femmes préfèrent les hommes qui ont un gros pénis.
- ☐ Vrai
- ☐ Faux

3 - Lorsqu'un homme fait l'amour, il peut perdre son érection et la retrouver à plusieurs reprises sans que cela indique un problème d'impuissance.
- ☐ Vrai
- ☑ Faux

4 - La lubrification féminine est le premier signe physiologique pour indiquer qu'une femme est excitée sexuellement.
- ☑ Vrai
- ☐ Faux

5 - La ménopause n'a pas d'effet direct sur le désir sexuel féminin.
- ☐ Vrai
- ☑ Faux

6 - À partir de soixante ans, il est normal qu'un homme soit impuissant.
- ☐ Vrai
- ☑ Faux

7 - L'homme éjaculateur précoce est celui qui est incapable de faire jouir sa partenaire par la pénétration.
- ☐ Vrai
- ☑ Faux

8 - Plus une femme a d'orgasmes dans une relation sexuelle, plus elle est satisfaite.

- ☑ Vrai
- ☐ Faux

9 - Après avoir éjaculé, l'homme ne peut avoir une autre érection avant un certain temps.

- ☑ Vrai
- ☐ Faux

10 - L'homme qui a une compagne dans sa vie, avec qui il fait l'amour régulièrement, n'est pas censé se masturber.

- ☑ Vrai
- ☐ Faux

11 - Durant la grossesse, certaines femmes ressentent une forte hausse de leur désir sexuel.

- ☐ Vrai
- ☑ Faux

12 - L'érection que plusieurs hommes ont à leur réveil est due à l'urine.

- ☑ Vrai
- ☐ Faux

13 - Lorsqu'une femme lubrifie (mouille), cela signifie qu'elle est prête pour la pénétration.

- ☑ Vrai
- ☐ Faux

14 - Le désir sexuel de l'homme et de la femme est lié à leur niveau hormonal.

- ☑ Vrai
- ☐ Faux

15 - L'homme éjaculateur précoce est un égoïste.

- ☑ Vrai
- ☐ Faux

16 - La vasectomie peut rendre impuissant.

- ☐ Vrai
- ☑ Faux

17 - Le vaginisme est le problème de la femme qui ne peut être pénétrée car elle contracte involontairement les muscles de l'entrée du vagin.

- ☐ Vrai
- ☐ Faux

18 - Lorsqu'un homme a une érection, il doit en venir à l'éjaculation, sinon il se sentira tendu et frustré.

❑ Vrai
❑ Faux

19 - Physiologiquement, lors des activités sexuelles, il se passe moins de choses chez la femme que chez l'homme.

❑ Vrai
❑ Faux

20 - La jouissance de la femme dépend de la durée de la pénétration.

❑ Vrai
❑ Faux

21 - Durant les menstruations, il est préférable de ne pas avoir de relations sexuelles.

❑ Vrai
❑ Faux

22 - Dans 30 à 50 p. cent des cas, chez la femme, les douleurs à la pénétration ont une origine organique (physique).

❑ Vrai
❑ Faux

23 - Dix pour cent des hommes ont des problèmes d'érection.

❑ Vrai
❑ Faux

24 - Toutes les femmes ont un point G (point de jouissance se situant dans le vagin de la femme).

❑ Vrai
❑ Faux

25 - L'orgasme vaginal est le seul qui soit véritablement satisfaisant pour la femme.

❑ Vrai
❑ Faux

RÉPONSES

Pour chaque bonne réponse, donnez-vous 1 point.

Question 1 : FAUX
Le mythe de l'orgasme simultané a la vie dure. En réalité, il est plutôt rare que les deux partenaires atteignent l'orgasme au même moment. Lorsque cela se produit, on remercie le ciel pour le beau cadeau qu'il vient de nous accorder et on ne s'attend surtout pas à ce que cela se reproduise la prochaine fois.

Question 2 : FAUX
Il faut d'abord savoir que les parois vaginales sont élastiques. Elles s'adaptent automatiquement au pénis de l'homme, que celui-ci soit petit, moyen ou gros. De plus, lors de l'érection, les petits pénis prennent davantage de volume que les pénis plus impressionnants. Ceci contribue à amenuiser les différences entre les divers «formats».

Pour les amateurs de statistiques, un pénis de taille normale mesure au repos entre deux pouces et demi et cinq pouces et a un diamètre d'environ un pouce. En érection, il mesure entre cinq pouces et demi et huit pouces et son diamètre atteint approximativement deux pouces. Soulignons enfin que, contrairement à ce qu'on voit dans les films pornographiques, les femmes ne tombent pas toutes en extase devant un pénis de douze pouces. Au contraire, pour la plupart des femmes, la pénétration d'un pénis de plus de dix pouces peut être difficile et même douloureuse.

Question 3 : VRAI
Il est tout à fait normal pour un homme d'avoir une érection, de la perdre, et de la retrouver à plusieurs reprises. En effet, le degré d'excitation variant lors de la relation sexuelle, il n'est pas surprenant de constater des modifications au niveau de l'érection. Par contre, si, *régulièrement* l'homme perd son érection, et est incapable de la retrouver, cela peut indiquer un problème d'impuissance.

Question 4 : VRAI
La lubrification est causée par un afflux de sang au niveau des parois vaginales. Cet afflux crée un phénomène de sudation. Puis la lubrification suit. Comme son nom l'indique, le liquide ainsi produit est un liquide lubrifiant. Sa fonction est la même que pour l'érection : faciliter l'intromission du pénis dans le vagin. C'est

aussi, comme l'érection pour l'homme, le premier signe d'excitation sexuelle chez la femme.

Question 5 : FAUX
La ménopause est causée par l'arrêt relativement brusque de l'oestrogène et de la progestérone. Si ces hormones n'ont rien à voir avec le désir sexuel féminin avant la ménopause, il en va autrement pendant et après celle-ci. L'absence d'oestrogène et de progestérone a des répercussions sur l'état général de la femme. La sexualité n'est pas épargnée. Ainsi, il se produit une diminution des graisses au niveau des seins, des hanches et du vagin. Cette diminution peut entraîner chez certaines femmes une perte de l'estime de soi. Elles ne se sentent plus désirables. En ce qui concerne le vagin, le nombre de couches de cellules de la muqueuse vaginale (qu'on appelle épithélium) passe de 15 à 1 ou 2. Lors de la pénétration, la femme est donc susceptible de ressentir de l'irritation ou encore une forte envie d'uriner (la vessie et le vagin étant très proches l'un de l'autre).

Ajouté à cela un ralentissement de la lubrification et des autres réactions sexuelles, on comprendra que la ménopause peut affecter la sexualité. Mais ce n'est pas évident pour toutes les femmes. Ainsi, selon les études effectuées sur le sujet, un tiers des femmes voit leur niveau de désir sexuel diminuer, un tiers le voit rester stable, et un autre tiers le voit augmenter. Si, dans votre cas, vous remarquez que votre ménopause nuit à votre vie sexuelle, il serait bon d'en parler à votre médecin traitant. Une hormono-thérapie et (ou) une gelée lubrifiante serait peut-être indiquée.

Question 6 : FAUX
S'il est vrai qu'un homme de 60 ans est habituellement moins fringant qu'un jeune homme de 20 ans, par contre, la préretraite sexuelle obligatoire n'existe pas. Un homme en bonne santé, ayant eu une vie sexuelle relativement régulière et satisfaisante, peut espérer continuer celle-ci jusqu'à sa mort. Et ce n'est pas parce que, de temps en temps il manque son coup, qu'il devient impuissant et qu'il doit renoncer à une sexualité active.

Question 7 : FAUX
On a longtemps lié l'éjaculation précoce à l'incapacité de l'homme à faire jouir sa partenaire par la pénétration. Bien sûr, si celle-ci dure 30 secondes, il y a une relation de cause à effet. Mais si elle se poursuit durant 10 à 20 minutes, on ne peut plus parler d'éjaculation précoce! Plusieurs femmes, sans que ce soit nécessairement un problème, n'ont pas d'orgasmes vaginaux. Et l'homme aurait beau la pénétrer durant des heures, cela n'y changerait rien.

En fait, l'éjaculation précoce est plutôt définie par l'incapacité pour un homme de décider la majorité du temps du moment approximatif de son éjaculation. En d'autres termes, il ne peut choisir entre «une p'tite vite» et «la longue fête érotique». Pour lui, c'est toujours «la p'tite vite» qui est au rendez-vous.

Question 8 : FAUX
Le nombre d'orgasmes n'est pas nécessairement proportionnel à la satisfaction sexuelle. Une femme peut obtenir quatre orgasmes et être moins satisfaite qu'une femme n'en ayant eu qu'un et même aucun. Évidemment, l'inverse est aussi vrai. La satisfaction de la femme dépend d'une foule de facteurs : contexte de la relation, émotions du moment par rapport au partenaire et intensité du ou des orgasmes. La quantité peut être appréciée, mais c'est surtout la qualité qui prime.

Question 9 : VRAI
Après avoir éjaculé, l'homme entre dans la période réfractaire. Durant celle-ci, rien ni personne ne pourra l'amener à avoir une autre érection. Plus l'homme vieillit, plus la période réfractaire devient longue et plus l'homme en prend conscience. Vers 18 ans, ce temps de récupération dure une dizaines de secondes; vers 30 ans, il peut s'étendre de 30 à 45 minutes. À 40 ans, on commence à calculer en heures au singulier, et à 50 ans en heures au pluriel (cinq à six). Finalement, vers 65-70 ans, la période réfractaire dure de 24 à 48 heures. Remarquez, il y a beaucoup de différences individuelles et il faut prendre ces données simplement à titre indicatif.

Question 10 : FAUX
La très grande majorité des hommes (au-dessus de 90 p. cent) continuent de se masturber même s'ils ont une partenaire sexuelle régulière. Ce n'est pas nécessairement que leur partenaire soit moins excitante. Bien sûr, si l'homme trouve les relations sexuelles trop espacées, il aura tendance à se masturber plus souvent. Mais même dans le cas rare de parfaite harmonie sexuelle dans le couple, le besoin de se masturber demeure. L'homme, lorsqu'il a un désir sexuel, n'a pas nécessairement le goût de faire l'amour. Il peut simplement ressentir le besoin de faire baisser sa tension sexuelle sans avoir à se préoccuper d'une autre personne. La masturbation est la façon la plus simple et la plus rapide d'arriver à ses fins.

Du côté des femmes, 80 p. cent d'entre elles se seraient déjà masturbées. Cinquante p. cent continuent cette pratique régulièrement, ceci même si elles ont une relation amoureuse stable.

Question 11 : VRAI

Entre le troisième et le septième mois de grossesse, certaines femmes ressentent un plus fort désir sexuel. Certains changements physiologiques propres à la grossesse ressemblent étrangement à l'état d'excitation sexuelle. Je m'explique. À partir du troisième mois de grossesse, l'utérus s'élève et devient un organe abdominal. De plus, l'irrigation sanguine des organes génitaux devient plus abondante. Dans l'excitation sexuelle, il y a aussi du sang qui va se loger au niveau des organes génitaux et l'utérus se soulève pour créer de l'espace dans le vagin. Il n'est donc pas surprenant que certaines femmes se sentent plus sexuelles. Bien sûr, si la grossesse est difficile (nausées, vomissements), si la femme se sent fatiguée, préoccupée, le désir sexuel sera au contraire diminué et même absent.

Question 12 : FAUX

Contrairement à la croyance populaire, cette érection n'a rien à voir avec l'envie d'uriner. Tous les hommes, du bébé naissant au vieillard, ont durant la nuit des érections aux 90 minutes. Celles-ci, qui ne sont pas nécessairement complètes, durent de 30 à 40 minutes. Ces érections sont causées par l'action des hormones mâles sur les centres de l'érection au cerveau et correspondent à la période des rêves. Elles n'ont cependant aucun lien direct avec ces derniers. Évidemment, si l'homme fait un cauchemar, cela pourra inhiber l'érection, et s'il fait un rêve érotique, cela la favorisera encore plus. Le réveil se produit souvent durant cette phase du sommeil (période de rêve). Comme il y a bien des chances que la vessie soit pleine, on a fait une relation de cause à l'effet entre l'érection et l'envie d'uriner.

Quant à nous, mesdames, nous ne sommes pas en reste, mais nous demeurons plus discrètes. À chaque 90 minutes, nous avons une lubrification vaginale.

N.B. À ce sujet, il existe un examen nommé «Pléthysmographie pénienne nocturne» qui permet de savoir si un homme impuissant a ou n'a pas d'érection durant la nuit. À l'origine, l'examen se passait dans un laboratoire spécialement équipé. Maintenant, il existe des pléthysmographes portatifs qui permettent à l'homme d'effectuer cet examen chez lui. Au coucher, l'homme pose sur son pénis une bague reliée au pléthysmographe. Cet appareil notera tous les changements dans la rigidité et la circonférence du pénis durant la nuit. Ainsi, si l'homme a des érections complètes et rigides, on en déduira que son impuissance est sans doute psychogène[1], mais s'il n'en a pas, on soupçonnera plus un problème organique.

---

1. D'origine psychologique.

Question 13 : FAUX
La lubrification est le premier signe d'excitation sexuelle chez la femme. C'est l'équivalent de l'érection chez l'homme. Quand il érecte, cela ne signifie pas nécessairement qu'il a le goût de pénétrer sa partenaire immédiatement. C'est la même chose pour la femme. Lorsqu'elle lubrifie, cela veut simplement dire qu'elle commence à être excitée. L'envie d'être pénétrée pourra suivre plus ou moins rapidement. Et c'est à ce moment-là que la femme est vraiment prête pour la pénétration : quand physiologiquement elle est excitée (lubrification) et psychologiquement elle désire être pénétrée.

Question 14 : FAUX
Chez l'homme, le désir sexuel est, en grande partie, relié au niveau de testostérone qui est une hormone masculine. Nous, les femmes, avons un niveau d'androgènes beaucoup moins élevé que l'homme et notre désir sexuel est beaucoup plus lié à l'apprentissage.

Ainsi, il n'est pas rare de voir une femme de 45 ans avoir beaucoup plus de désir qu'à 20 ans. Toutefois, si ses expériences sexuelles ont été négatives, il se peut qu'elle n'ait aucun désir sexuel.

Question 15 : FAUX
L'homme éjaculateur précoce est rarement un égoïste. Au contraire, en général, c'est le type qui veut trop bien faire, qui n'a qu'une seule idée : satisfaire sa partenaire. Il se met beaucoup de pression sur les épaules, ce qui le rend encore plus maladroit. Il donne souvent l'impression à sa partenaire d'être égoïste, mais le plus souvent il ne pense même pas à lui.

Question 16 : FAUX
La vasectomie s'effectue en sectionnant et en enlevant une portion des canaux déférents. Ceux-ci, situés entre le testicule et la prostate transportent les spermatozoïdes matures, et n'ont rien à voir avec les mécanismes de l'érection.

Question 17 : VRAI
Éclaircissons d'abord un premier point. Le vaginisme n'a rien à voir avec les infections génitales féminines qu'on nomme «vaginite». Maintenant parlons du vaginisme. Il s'agit d'un problème sexuel qui regarde entre 2 et 5 p. cent des femmes. La femme vaginique contracte involontairement les muscles de son vagin, ce qui rend toute tentative de pénétration soit très douloureuse, soit impossible. Il est à remarquer que ce problème essentiellement psychogène se traite très bien en thérapie sexologique.

Question 18 : FAUX
S'il fallait que les hommes aient des éjaculations à chacune de leur érection, ils seraient souvent en position délicate. Ce n'est pas parce qu'un homme a une érection qu'il doit absolument faire quelque chose avec. L'érection est simplement le signe d'une excitation sexuelle, et si rien ne se passe ensuite, soyez sans crainte, il n'attrapera pas un rhume.

Question 19 : FAUX
Il se passe autant de choses chez la femme que chez l'homme; cependant, comme chez la femme les changements physiologiques se produisent pour la plupart à l'intérieur du vagin, ils sont évidemment plus discrets que les changements observés chez l'homme.

Question 20 : FAUX
Les femmes ne réagissent pas toutes de la même façon. Certaines aiment les longues pénétrations, d'autres préfèrent qu'elles durent moins longtemps. Certaines atteignent l'orgasme par pénétration, d'autres pas. Toutefois, il est évident qu'une pénétration de 30 secondes est très rarement suffisante pour satisfaire la femme.

Question 21 : FAUX
Au contraire, pour certaines femmes les relations sexuelles durant les menstruations vont être un facteur de détente. Il n'y a aucune contre-indication quant au fait d'avoir des relations sexuelles durant les menstruations. Si on se sent mal à l'aise, on n'est pas non plus obligée de faire l'amour durant cette période. C'est une question de choix personnel.

Question 22 : VRAI
En effet, de 30 à 50 p. cent des cas de douleurs à la pénétration (on les nomme dyspareunie) ont une origine physique. Donc, si vous avez mal, consultez un médecin en qui vous avez confiance et qui prendra le temps de vous écouter. Si tout est normal, un sexologue professionnel pourra vous aider.

Question 23 : VRAI
En effet, 10 p. cent des hommes vivent un problème d'érection. Dans 25 à 40 p. cent des cas, le problème est physique. Dans les autres cas, il s'agit d'un problème psychogène.

Question 24 : VRAI
Oui, toutes les femmes ont un point G. Ce point de jouissance, situé dans le vagin, ne procure cependant pas le même plaisir à toutes les femmes. Certaines décriront des orgasmes extra-

ordinaires, tandis que d'autres noteront qu'il s'agit d'un endroit plutôt sensible sans plus.

Question 25 : FAUX
Il existe plusieurs types d'orgasmes féminins : clitoridien, vaginal, par le point G, postéjaculatoire réflexe, utéro-annexiel, etc. Tous ces orgasmes sont en réalité des variantes des deux premiers (clitoridien et vaginal). Certaines femmes ont plus facilement accès à l'orgasme vaginal, d'autres à l'orgasme clitoridien, d'autres encore ont indifféremment l'un ou l'autre. Le type d'orgasme et son origine n'ont pas beaucoup d'importance. Ce qui compte avant tout, c'est sa satisfaction. Si l'orgasme vient du gros orteil et que la femme soit satisfaite, alors tant mieux pour elle.

INTERPRÉTATION DES RÉSULTATS

De 0 à 7 points :
Pour tout de suite, disons que vous n'êtes pas prêt à passer un doctorat en sexologie. Vos connaissances sont très partielles et ne correspondent pas à la réalité. Il serait peut être temps pour vous de vous offrir un livre sérieux sur le sujet.

De 8 à 14 points :
Vous connaissez certaines choses, mais il y a sûrement place à amélioration. Quelques lectures ne seraient sans doute pas inutiles.

De 15 à 20 points :
Vous avez d'assez bonnes connaissances sexuelles. Vous n'êtes pas un expert, mais votre savoir sexuel provient sûrement d'autres sources que les films pornographiques ou ce qu'en pense votre beau-frère Roger.

De 21 à 25 points :
Bravo! Vous avez de très bonnes connaissances sexuelles. Seriez-vous intéressé par un travail de sexologue éducateur?

À QUOI ÇA SERT DE CONNAÎTRE TOUT ÇA?

Bien sûr, quand on fait l'amour, on ne pense pas à toutes ces choses. Cependant, savoir comment la mécanique fonctionne (même si l'on n'est pas mécanicien), nous permet de ne pas paniquer lorsque arrive un pépin. Cela ne réglera probablement pas le problème automatiquement, mais, au moins, on sera capable d'analyser la situation de façon plus raisonnée.

La sexualité est sans doute le domaine où l'on reçoit le moins d'éducation. Sous prétexte que c'est naturel, on devrait tout savoir sans rien apprendre. Manger est aussi naturel. On apprend à se tenir à table, à préparer les repas, à varier le menu, etc. Si on avait la même attitude par rapport à la nourriture que celle que nous adoptons trop souvent par rapport à la sexualité, nous en serions encore à manger notre viande crue, autour de l'os, avec nos doigts! On voit d'ici le ridicule de la situation.

Un minimum de connaissances sexuelles ne peut que nous aider à mieux vivre notre sexualité. Je vous illustre mon propos. J'ai déjà rencontré dans mon bureau un jeune homme de 26 ans, certain de s'en aller vers l'impuissance parce qu'il devait attendre une demi-heure avant d'avoir une deuxième relation sexuelle. Il ne savait pas que la période réfractaire[1] s'allongeait avec le temps. Il est parti rassuré et a laissé sa pseudo-impuissance à la porte de la clinique. Ce sont souvent des petites choses comme celles-là qui diminuent la qualité de notre vie sexuelle.

Il ne s'agit pas de devenir des encyclopédies vivantes du sexe, mais simplement de savoir que certains phénomènes physiologiques normaux peuvent interférer dans notre vie sexuelle. Puis rappelez-vous que même s'il y a un véritable problème, le savoir c'est déjà un pas vers la solution.

---

1. Période réfractaire : moment de récupération nécessaire à un homme avant de pouvoir avoir une autre érection.

Êtes-vous sexuel, sensuel ou romantique?

Un jour, une de mes clientes me déclara que, selon elle, il était génétiquement impossible pour un homme et une femme de s'entendre sexuellement. Lui demandant d'où elle tirait cette certitude, elle me répondit : «C'est simple, les femmes sont romantiques, les hommes sexuels. Ça a toujours été comme ça et ça le sera toujours. On ne peut rien y faire!» Comme vous voyez, son appréciation des rapports hommes-femmes n'était pas très optimiste.

Si, au départ, on peut effectivement dire que le jeune homme est plus sexuel, et la jeune fille plus romantique[1], cela devient de moins en moins vrai à mesure qu'ils vieillissent. Non pas que les femmes se transforment en véritables obsédées sexuelles et les hommes en lecteurs assidus de romans Harlequin, mais des différences individuelles de plus en plus marquées apparaissent. Il y a des hommes qui demeurent très sexuels et des femmes très romantiques, mais l'énoncé général «les hommes sont sexuels, les femmes sont romantiques» ne tient plus. On peut être à la fois l'un et l'autre, tout dépend des circonstances et de notre humeur du moment.

Enfin, il ne faudrait pas oublier la sensualité. À 15-16 ans, on est rarement sensuel. La sensualité fait appel à notre capacité de percevoir les nuances dans les sensations. À l'adolescence, on est plus à la recherche de sensations fortes. Aussi, on ne découvre souvent la sensualité qu'avec le temps et l'expérience.

Êtes-vous romantique, sensuel ou sexuel, ou un joyeux mélange des trois? Pour la savoir, faites le test. À tout de suite.

---

1. Le désir et les capacités sexuels du jeune homme sont en grande partie redevables aux hormones nommées androgènes. Il n'a pas le choix de penser ou non «sexuel». Les androgènes sont là qui envoient leur message. Et comme chacun le sait, les hormones ne sont guère romantiques. Du côté des filles, la sexualité est plus liée à l'apprentissage. D'où l'importance d'éléments extérieurs, tel le rêve du beau prince sur son cheval blanc. Pour en savoir plus, consultez *Comment devenir et rester une femme épanouie sexuellement*, chapitres 2 et 3, C. Bouchard, Edimag, 1988, Montréal.

ÊTES-VOUS SEXUELLE, SENSUELLE OU ROMANTIQUE? (MADAME)

1 - Quand je vois un homme, je regarde d'abord :
- ❑ a) Sa fermeture éclair.
- ❑ b) Ce qu'il dégage.
- ❑ c) Son sourire et ses yeux.

2 - Parmi ces films, je choisis :
- ❑ a) Histoire d'O.
- ❑ b) Et Dieu créa la femme.
- ❑ c) Love Story.

3 - Lorsque je fais l'amour, je veux d'abord :
- ❑ a) Jouir.
- ❑ b) Avoir du plaisir.
- ❑ c) Sentir l'amour de l'autre.

4 - Pour moi, au lit, un homme doit être :
- ❑ a) Cochon.
- ❑ b) Gourmand.
- ❑ c) Amoureux.

5 - Comme partenaire, je choisis :
- ❑ a) Patrick Swaize (Dirty dancing).
- ❑ b) Philippe Noiret.
- ❑ c) Roch Voisine.

6 - Ce qui compte dans la vie c'est d'abord :
- ❑ a) La performance.
- ❑ b) Le plaisir.
- ❑ c) Les sentiments.

7 - Je suis :
- ❑ a) Une croqueuse d'hommes (dans le bon sens).
- ❑ b) Une bonne vivante.
- ❑ c) Une belle princesse.

8 - Pour moi, l'homme idéal est :
- ❑ a) Un objet de désir.
- ❑ b) Un compagnon de plaisir.
- ❑ c) Un beau prince.

9 - La pire chose qui pourrait m'arriver serait :
- ❑ a) De devenir frigide.
- ❑ b) De devoir me nourrir uniquement d'un sérum.
- ❑ c) De vivre sans amour.

10 - J'aurais aimé ressembler à :
- ❑ a) Madonna.
- ❑ b) Sophia Loren.
- ❑ c) Miou Miou.

11 - J'aime qu'un homme soit habillé pour :
- ❑ a) M'exciter.
- ❑ b) Être à l'aise.
- ❑ c) Bien paraître.

12 - Lorsque je rencontre un homme qui me plaît, j'ai le goût :
- ❑ a) De coucher avec lui.
- ❑ b) D'avoir du bon temps avec lui.
- ❑ c) De vivre une histoire d'amour avec lui.

13 - Si, pour une raison ou pour une autre, nous ne pouvons, mon partenaire et moi, avoir de pénétration :
- ❑ a) Je ne le touche pas, car je ne veux pas commencer quelque chose que je ne peux terminer.
- ❑ b) Il n'y a pas que la pénétration dans la sexualité, alors on prend d'autres moyens.
- ❑ c) Je serre mon partenaire contre moi et je lui dis des mots tendres.

14 - J'aime avoir des relations sexuelles :
- ❑ a) Le plus souvent possible.
- ❑ b) Lorsque nous en avons envie tous les deux.
- ❑ c) Lorsque je me sens très amoureuse de mon partenaire.

15 - Pour moi, faire l'amour cela sert d'abord :
- ❑ a) À soulager ma tension sexuelle.
- ❑ b) À échanger du plaisir.
- ❑ c) À montrer à l'être aimé la profondeur de mes sentiments.

16 - J'aime les chansons de :
- ❑ a) Serge Gainsbourg.
- ❑ b) Juliette Gréco.
- ❑ c) Édith Piaf.

17 - Les caresses et baisers servent surtout :
- ❑ a) D'amuse-gueule.
- ❑ b) À donner et à recevoir du plaisir.
- ❑ c) À exprimer notre tendresse mutuelle.

18 - Je me nourrirais :
❑ a) D'aphrodisiaques.
❑ b) De bonne chère et de bon vin.
❑ c) D'amour et d'eau fraîche.

19 - La sexualité sans amour :
❑ a) Est la moins compliquée.
❑ b) Peut être parfois agréable.
❑ c) N'a pas de sens.

20 - Si je donne du sexe à un homme c'est :
❑ a) Pour avoir du sexe.
❑ b) Pour le plaisir.
❑ c) Pour recevoir de la tendresse.

❦❦❦

ÊTES-VOUS SEXUEL, SENSUEL OU ROMANTIQUE? (MONSIEUR)

1 - Quand je vois une femme, je regarde d'abord :
❑ a) Ses seins et ses fesses.
❑ b) Ce qu'elle dégage.
❑ c) Son sourire et ses yeux.

2 - Parmi ces films, je choisis :
❑ a) Histoire d'O.
❑ b) Et Dieu créa la femme.
❑ c) Love Story.

3 - Lorsque je fais l'amour, je veux d'abord :
❑ a) Jouir.
❑ b) Avoir du plaisir.
❑ c) Sentir l'amour de l'autre.

4 - Pour moi, au lit une femme doit être :
❑ a) Vicieuse.
❑ b) Gourmande.
❑ c) Amoureuse.

5 - Comme partenaire, je choisis :
❑ a) Madonna.
❑ b) Sophia Loren.
❑ c) Miou Miou.

6 - Ce qui compte dans la vie c'est d'abord :

❑ a) La performance.
❑ b) Le plaisir.
❑ c) Les sentiments.

7 - Je suis :

❑ a) Un homme à femmes.
❑ b) Un bon vivant.
❑ c) Un amant romantique.

8 - Pour moi, la femme idéale est :

❑ a) Un objet de désir.
❑ b) Une compagne de plaisir.
❑ c) Un objet de vénération.

9 - La pire chose qui pourrait m'arriver ce serait :

❑ a) De devenir impuissant.
❑ b) De devoir me nourrir uniquement d'un sérum.
❑ c) De vivre sans amour.

10 - J'aurais aimé ressembler à :

❑ a) Patrick Swaize (Dirty dancing).
❑ b) Philippe Noiret.
❑ c) Roch Voisine.

11 - J'aime qu'une femme soit habillée pour :

❑ a) M'exciter.
❑ b) Être à l'aise.
❑ c) Bien paraître.

12 - Lorsque je rencontre une femme qui me plaît, j'ai le goût :

❑ a) De coucher avec elle.
❑ b) D'avoir du bon temps avec elle.
❑ c) De vivre une histoire d'amour avec elle.

13 - Si, pour une raison ou pour une autre, nous ne pouvons, ma partenaire et moi, avoir de pénétration :

❑ a) Je ne la touche pas, car je ne veux pas commencer quelque chose que je ne peux pas terminer.
❑ b) Il n'y a pas que la pénétration dans la sexualité, alors on prend d'autres moyens.
❑ c) Je serre ma partenaire contre moi et lui dis des mots tendres.

14 - J'aime avoir des relations sexuelles :

- ❑ a) Le plus souvent possible.
- ❑ b) Lorsque nous en avons envie tous les deux.
- ❑ c) Lorsque je me sens très amoureux de ma partenaire.

15 - Pour moi, faire l'amour sert d'abord :

- ❑ a) À soulager ma tension sexuelle.
- ❑ b) À échanger du plaisir.
- ❑ c) À montrer à l'être aimé la profondeur de mes sentiments.

16 - J'aime les chansons de :

- ❑ a) Serge Gainsbourg.
- ❑ b) Juliette Gréco.
- ❑ c) Édith Piaf.

17 - Les caresses et baisers servent surtout :

- ❑ a) De préparation à la femme.
- ❑ b) À donner et à recevoir du plaisir.
- ❑ c) À rendre hommage à sa beauté.

18 - Je me nourrirais :

- ❑ a) D'aphrodisiaques.
- ❑ b) De bonne chère et de bon vin.
- ❑ c) D'amour et d'eau fraîche.

19 - La sexualité sans amour :

- ❑ a) Est la moins compliquée.
- ❑ b) Peut être parfois agréable.
- ❑ c) N'a pas de sens.

20 - Si je donne de la tendresse à une femme c'est :

- ❑ a) Pour avoir du sexe.
- ❑ b) Pour le plaisir.
- ❑ c) Pour recevoir de la tendresse.

CALCULEZ LES RÉSULTATS

Pour chaque A donnez-vous 1 point.
Pour chaque B donnez-vous 2 points.
Pour chaque C donnez-vous 3 points.

INTERPRÉTATION DES RÉSULTATS

Vous avez obtenu :

- **de 20 à 25 points : Type sexuel**

Nul doute que, pour vous, ce qui prime, d'abord et avant tout, c'est le sexe. Vous n'avez pas de temps à perdre avec ce que vous considérez comme du taponnage, par exemple les marques de tendresse et les préliminaires un peu recherchés. Pour vous, sexualité et amour sont deux choses bien séparées. À moins d'avoir un ou une partenaire du même type que vous, l'harmonie sexuelle n'est sans doute pas au rendez-vous dans votre couple. Vous vous dites satisfait de votre sexualité? Demandez à l'autre ce qu'il ou elle en pense...

- **de 26 à 35 points : Type sexuel-sensuel**

Bien que vous soyez d'abord sexuel, la sensualité n'est pas absente de votre sexualité. Si, pour vous, le vrai sexe prime (c'est-à-dire relation sexuelle avec pénétration et éjaculation dans le vagin), vous êtes quand même capable d'apprécier des plaisirs plus nuancés et plus étendus.

- **de 36 à 45 points : Type sensuel**

Vous êtes un jouisseur ou une jouisseuse : «Bonne bouffe, bon boire, bonne baise», telle pourrait être votre devise. Vous aimez caresser et être caressé. Pour vous, la sexualité n'est ni une piste de course, ni une chapelle consacrée à l'amour avec un grand «A». C'est d'abord et avant tout un lieu de plaisir. Il y a certes de la place pour les sentiments, mais ceux-ci ont avantage à être exprimés de façon concrète. Si le sexe performance ne vous dit rien, l'amour platonique ne vous enflamme pas non plus.

- **de 46 à 55 points : Type sensuel-romantique**

Vous appréciez sans doute les rapprochements intimes. Toutefois, votre satisfaction sexuelle est liée à la qualité des sentiments que vous avez pour l'autre. Plus vous aimez, plus vous vous laissez aller aux joies de la chair. L'inverse est aussi vrai. Il a pu vous arriver de vous laisser aller au désir du moment, mais les rencontres d'un soir, ce n'est vraiment pas votre style.

- **56 à 60 points : Type romantique**

Hors de l'amour avec un grand «A», il n'y a pas de sexualité possible pour vous. Et même là, il n'est pas du tout certain que vous appréciez vraiment les plaisirs sexuels. Vous faites l'amour par amour et vous en retirez une satisfaction plus psychologique que physique. Votre conception de l'amour n'est sans doute pas très réaliste et manque un peu de truculence. Vous savez, les belles princesses en robe de bal et les beaux princes aux chevaux blancs ne courent pas les rues. Et si se promener tendrement enlacés sur le bord d'une plage au clair de lune vous semble le SUMMUM de la jouissance, il n'est pas du tout certain que votre partenaire (à moins qu'il ou elle ne soit du même type que vous) partage votre avis.

À PARTIR DE LÀ, QU'EST-CE QU'ON FAIT?

Comparez vos résultats. Si vous êtes du même type, ou de types voisins, sans doute n'avez-vous pas trop de difficultés à vous comprendre au lit. Cependant, si vous êtes un ou une sexuel(le) et que votre partenaire est un ou une romantique, vous avez sûrement de la difficulté à vous rejoindre. Vous vivez sur deux planètes complètement différentes. Ce qui est excitant pour vous est répugnant pour l'autre. Ce qui l'enchante vous ennuie profondément.

Vous pouvez passer des heures à essayer de convaincre l'autre que votre manière de voir et de penser est meilleure que sa manière de voir et de penser. Vous allez tous deux vous ancrer encore plus dans vos positions et cela se terminera par une dispute à la fois stérile et blessante pour chacun de vous.

Essayez plutôt de voir la situation sous un autre angle. Il y a du bon dans la sexualité. Par exemple, les personnes ayant une libido élevée sont souvent des êtres très énergiques. De plus, des recherches sérieuses en France et aux États-Unis ont démontré que les patients atteints d'une maladie grave avaient tout intérêt à avoir une vie sexuelle régulière, puisque cela améliorait non seulement leur qualité de vie, mais aussi leur espoir de survie.

De là à dire «hors du sexe, point de salut» il ne faut pas charrier. L'humain n'est pas qu'un être génital. C'est aussi une créature d'esprit. Une certaine dose de romantisme peut favoriser une sexualité plus satisfaisante. Le sexe réduit à la seule dimension de pénétration-éjaculation devient rapidement routinier et ennuyeux. La personne romantique, en se servant de son imagination, est susceptible de créer des situations de nature à renouveler les rencontres sexuelles.

Je vous propose donc de tenter de voir ce qui, dans la façon d'être de chacun de vous deux, peut enrichir votre vie sexuelle et amoureuse. Pour cela, il faut exprimer ce que vous vivez, mais écouter aussi ce que votre partenaire a à dire.

L'importance de la sexualité dans votre vie

Ce n'est pas moi qui vous dirai que la sexualité n'est pas une chose sérieuse. Toutefois, et c'est bien normal, nous n'y accordons pas tous la même importance. Les mésententes par rapport à la sexualité proviennent souvent de trop grandes différences au niveau de l'intérêt sexuel. Pour l'un, tout passe avant le sexe, alors que pour l'autre, le sexe passe avant tout.

Où vous situez-vous? Quelle importance accordez-vous à la sexualité? Est-ce votre première ou votre dix-huitième priorité? Qu'en est-il de votre partenaire? Avez-vous l'impression d'être à l'opposé l'un de l'autre? Cette impression est-elle justifiée? Pour en savoir un peu plus, répondez à ce questionnaire.

L'IMPORTANCE DE LA SEXUALITÉ DANS VOTRE VIE (MADAME)

1 - Sans accord sexuel :

- ❑ a) Un couple ne peut pas durer longtemps.
- ❑ b) Un couple peut durer mais ne peut être heureux.
- ❑ c) Cela dépend du couple.
- ❑ d) Un couple peut être très heureux.

2 - Pour moi, la sexualité c'est :

- ❑ a) Très important.
- ❑ b) Assez important.
- ❑ c) Peu important.
- ❑ d) Pas important.

3 - Pour moi, l'idéal serait de faire l'amour :

- ❑ a) Tous les jours.
- ❑ b) Toutes les semaines.
- ❑ c) Tous les mois.
- ❑ d) Tous les ans.

4 - Je pourrais difficilement me passer d'activités sexuelles (masturbation et(ou) relations sexuelles avec partenaire) durant plus :

- ❑ a) De quelques jours.
- ❑ b) De deux semaines.
- ❑ c) D'un mois.
- ❑ d) Je pourrais très bien m'en passer tout le temps.

5 - Pour moi, les personnes abstinentes sexuellement :

- ❑ a) Ne sont pas normales.
- ❑ b) Doivent être bien malheureuses.
- ❑ c) Sont des saints ou des saintes.
- ❑ d) Sont bien chanceuses.

6 - Je me masturbe en moyenne :

- ❑ a) Une fois par jour ou plus.
- ❑ b) Deux ou trois fois par semaine.
- ❑ c) Une ou deux fois par mois.
- ❑ d) Je ne me masturbe jamais.

7 - Je tombe par hasard sur une émission où l'on discute de sexualité :

- ❑ a) J'écoute avec grande attention. Quand il s'agit de sexe, cela ne peut pas ne pas m'intéresser.
- ❑ b) J'écoute quelques moments. Si le niveau de la discussion m'intéresse, je reste là, sinon je «zappe».
- ❑ c) Si les enfants sont là, je «zappe», s'ils n'y sont pas, j'écoute.
- ❑ d) Je «zappe» immédiatement.

8 - Les moments passés à faire l'amour sont :

- ❑ a) Ce qu'il y a de plus important dans ma vie.
- ❑ b) Assez importants dans ma vie.
- ❑ c) Plus ou moins importants dans ma vie.
- ❑ d) Une perte de temps.

9 - Pour moi, une relation sexuelle devrait durer :

- ❑ a) Le plus longtemps possible.
- ❑ b) Le temps, ce n'est pas important. Ce qui compte, c'est que ce soit bon.
- ❑ c) Cela dépend des moments et de ma disponibilité.
- ❑ d) Le moins de temps possible.

10 - Je fais l'amour :

- ❑ a) Pour me faire plaisir.
- ❑ b) Pour nous faire plaisir.
- ❑ c) Pour faire plaisir à mon partenaire.
- ❑ d) J'évite les relations sexuelles.

11 - Pour moi, la sexualité c'est :

- ❑ a) Le plus beau cadeau que le créateur nous a donné.
- ❑ b) Un moyen de me détendre et d'être proche de mon conjoint.
- ❑ c) Un moyen de reproduction plus agréable que l'insémination artificielle.
- ❑ d) Une corvée.

12 - Sans amour, la sexualité :

- ❑ a) Peut être quand même agréable.
- ❑ b) Est moins satisfaisante que lorsqu'on est en amour.
- ❑ c) Satisfait le corps mais pas l'esprit.
- ❑ d) Est inacceptable.

13 - J'ai devant moi quatre livres, je choisis :

- ❑ a) Les contes des mille et une nuits (version non expurgée).
- ❑ b) Le tantra de l'art d'aimer.
- ❑ c) Le Larousse de la cuisine.
- ❑ d) Les secrets du jardinage.

14 - Lorsque j'examine un homme, je remarque d'abord :
- ❑ a) La bosse dans son pantalon.
- ❑ b) Ses fesses.
- ❑ c) Son allure générale.
- ❑ d) Ses yeux.

15 - Lorsque je rencontre un homme, je me demande :
- ❑ a) S'il est un bon amant.
- ❑ b) S'il est intelligent.
- ❑ c) S'il est gentil.
- ❑ d) S'il est riche.

16 - Une de mes amies me confie qu'elle est insatisfaite de son partenaire sexuel, je lui conseille :
- ❑ a) De divorcer.
- ❑ b) De se prendre un amant.
- ❑ c) De prendre son mal en patience parce qu'il a bien d'autres qualités.
- ❑ d) Je ne comprends pas qu'une telle chose puisse la fatiguer.

17 - Je pense à la sexualité :
- ❑ a) Tous les jours.
- ❑ b) Deux ou trois fois par semaine.
- ❑ c) Une fois par semaine ou toutes les deux semaines.
- ❑ d) Une fois par mois ou moins.

18 - Mon médecin m'annonce que j'ai une maladie grave. On doit m'opérer de toute urgence sinon je risque de mourir. Par contre, je sais qu'à la suite de cette opération je ne pourrai plus avoir de sexualité «normale» :
- ❑ a) Je refuse l'opération.
- ❑ b) J'accepte l'opération mais je consulte un sexologue pour m'adapter à ma nouvelle situation.
- ❑ c) Je consulte un autre médecin avant d'accepter ou de refuser l'opération.
- ❑ d) Je me fais opérer sans hésitation.

19 - Selon moi :
- ❑ a) On ne parle pas assez de sexualité.
- ❑ b) On en parle juste assez.
- ❑ c) On en parle trop de la mauvaise manière et pas assez de la bonne.
- ❑ d) On en parle trop.

20 - Sans sexe :
- ❑ a) La vie ne vaut pas la peine d'être vécue.
- ❑ b) La vie perd de sa saveur.
- ❑ c) La vie serait plus simple.
- ❑ d) La vie serait donc belle.

L'IMPORTANCE DE LA SEXUALITÉ DANS VOTRE VIE (MONSIEUR)

1 - Sans accord sexuel :

- ☑ a) Un couple ne peut pas durer longtemps.
- ☐ b) Un couple peut durer mais ne peut être heureux.
- ☐ c) Cela dépend du couple.
- ☐ d) Un couple peut être très heureux.

2 - Pour moi, la sexualité c'est :

- ☑ a) Très important.
- ☐ b) Assez important.
- ☐ c) Peu important.
- ☐ d) Pas important.

3 - Pour moi, l'idéal serait de faire l'amour :

- ☑ a) Tous les jours.
- ☐ b) Toutes les semaines.
- ☐ c) Tous les mois.
- ☐ d) Tous les ans.

4 - Je pourrais difficilement me passer d'activités sexuelles (masturbation et(ou) relations sexuelles avec partenaire) durant plus :

- ☑ a) De quelques jours.
- ☐ b) De deux semaines.
- ☐ c) D'un mois.
- ☐ d) Je pourrais très bien m'en passer tout le temps.

5 - Pour moi, les personnes abstinentes sexuellement :

- ☐ a) Ne sont pas normales.
- ☐ b) Doivent être bien malheureuses.
- ☐ c) Sont des saints ou des saintes.
- ☑ d) Sont bien chanceuses.

6 - Je me masturbe en moyenne :

- ☐ a) Un fois par jour ou plus.
- ☐ b) Deux ou trois fois par semaine.
- ☐ c) Une ou deux fois par mois.
- ☑ d) Je ne me masturbe jamais.

7 - Je tombe par hasard sur une émission où l'on discute de sexualité :

- ☐ a) J'écoute avec grande attention. Quand il s'agit de sexe, cela ne peut pas ne pas m'intéresser.
- ☑ b) J'écoute quelques moments. Si le niveau de la discussion m'intéresse, je reste là, sinon je «zappe».
- ☐ c) Si les enfants sont là, je «zappe», s'ils n'y sont pas, j'écoute.
- ☐ d) Je «zappe» immédiatement.

8 - Les moments passés à faire l'amour sont :

- ☐ a) Ce qu'il y a de plus important dans ma vie.
- ☑ b) Assez importants dans ma vie.
- ☐ c) Plus ou moins importants dans ma vie.
- ☐ d) Une perte de temps.

9 - Pour moi, une relation sexuelle devrait durer :

- ☑ a) Le plus longtemps possible.
- ☐ b) Le temps, ce n'est pas important. Ce qui compte, c'est que ce soit bon.
- ☐ c) Cela dépend des moments et de ma disponibilité.
- ☐ d) Le moins de temps possible.

10 - Je fais l'amour :

- ☐ a) Pour me faire plaisir.
- ☑ b) Pour nous faire plaisir.
- ☐ c) Pour faire plaisir à ma partenaire.
- ☐ d) J'évite les relations sexuelles.

11 - Pour moi, la sexualité c'est :

- ☐ a) Le plus beau cadeau que le créateur nous a donné.
- ☑ b) Un moyen de me détendre et d'être proche de mon conjoint.
- ☐ c) Un moyen de reproduction plus agréable que l'insémination artificielle.
- ☐ d) Une corvée.

12 - Sans amour, la sexualité :

- ☐ a) Peut être quand même agréable.
- ☑ b) Est moins satisfaisante que lorsqu'on est en amour.
- ☐ c) Satisfait le corps mais pas l'esprit.
- ☐ d) Est inacceptable.

13 - J'ai devant moi quatre livres, je choisis :

- ☐ a) Les contes des mille et une nuits (version non expurgée).
- ☐ b) Le tantra de l'art d'aimer.
- ☐ c) Le Larousse de la cuisine.
- ☐ d) Les secrets du jardinage.

14 - Lorsque j'examine une femme, je remarque d'abord :
- ☐ a) Ses seins et (ou) ses fesses.
- ☐ b) Ses lèvres.
- ☑ c) Son allure générale.
- ☐ d) Ses yeux.

15 - Lorsque je rencontre une femme, je me demande :
- ☑ a) Si elle est une bonne amante.
- ☐ b) Si elle est intelligente.
- ☐ c) Si elle est gentille.
- ☐ d) Si elle est riche.

16 - Un de mes amis me confie qu'il est insatisfait de sa partenaire sexuelle, je lui conseille :
- ☐ a) De divorcer.
- ☐ b) De se prendre une maîtresse.
- ☑ c) De prendre son mal en patience parce que sa partenaire a bien d'autres qualités.
- ☐ d) Je ne comprends pas qu'une telle chose puisse le fatiguer.

17 - Je pense à la sexualité :
- ☑ a) Tous les jours.
- ☐ b) Deux ou trois fois par semaine.
- ☐ c) Une fois par semaine ou toutes les deux semaines.
- ☐ d) Une fois par mois ou moins.

18 - Mon médecin m'annonce que j'ai une maladie grave. On doit m'opérer de toute urgence sinon je risque de mourir. Par contre, je sais qu'à la suite de cette opération je ne pourrai plus avoir de sexualité «normale» :
- ☐ a) Je refuse l'opération.
- ☐ b) J'accepte l'opération mais je consulte un sexologue pour m'adapter à ma nouvelle situation.
- ☑ c) Je consulte un autre médecin avant d'accepter ou de refuser l'opération.
- ☐ d) Je me fais opérer sans hésitation.

19 - Selon moi :
- ☐ a) On ne parle pas assez de sexualité.
- ☐ b) On en parle juste assez.
- ☑ c) On en parle trop de la mauvaise manière et pas assez de la bonne.
- ☐ d) On en parle trop.

20 - Sans sexe :
- ☐ a) La vie ne vaut pas la peine d'être vécue.
- ☑ b) La vie perd de sa saveur.
- ☐ c) La vie serait plus simple.
- ☐ d) La vie serait donc belle.

CALCUL DES POINTS

Pour chaque A, donnez-vous 3 points.
Pour chaque B, donnez-vous 2 points.
Pour chaque C, donnez-vous 1 point.
Pour chaque D, donnez-vous 0 point.

INTERPRÉTATION DES RÉSULTATS

Vous avez obtenu :

- **Entre 0 et 12 points :**

La sexualité n'est sûrement pas votre première préoccupation. C'est vrai qu'il y a autre chose que le sexe dans la vie, mais vous n'êtes pas obligé de faire comme s'il n'existait pas. Se pourrait-il que le peu d'importance que vous accordez à la sexualité soit relié à de l'insatisfaction sexuelle? Si tel est le cas, il suffirait peut-être de changer cet élément (l'insatisfaction) pour que votre point de vue change. Je suis d'accord avec vous. C'est plus facile à dire qu'à faire.

- **Entre 13 et 25 points :**

Vous comprenez que la sexualité fait partie de la vie, mais ce n'est pas votre priorité numéro 1. Vous n'allez toutefois pas jusqu'à la considérer comme un mal nécessaire. Vous pouvez avoir une vie sexuelle relativement intéressante, mais il faut vraiment que vous ayez l'esprit libre de toute autre préoccupation pour vous laisser aller complètement.

- **Entre 26 et 40 points :**

La sexualité fait partie de votre vie. Si elle doit parfois céder sa place à des occupations plus pressantes, elle n'est pas pour autant oubliée. Vous avez peut-être tendance à l'installer dans un cadre un peu trop rigide, ce qui risque de la rendre assez rapidement routinière. Un changement à vos habitudes (heure, lieu) serait peut être bénéfique. Évidement, lorsque je suggère un changement, je ne parle pas du partenaire...

- **Entre 41 et 52 points :**

Pour vous, le sexe c'est important! Il n'y a pas de doute là-dessus. Vous aimez la sexualité et vous ne vous en cachez sûrement pas. Vous pouvez, si vous en avez vraiment le goût, repousser une autre activité pour faire de la place à votre vie sexuelle. Vous n'êtes pas obsédé mais admettons que l'idée de la sexualité n'est jamais bien loin dans votre esprit.

- **Entre 53 et 60 points :**

La sexualité est votre priorité numéro 1. Quoi que vous fassiez, votre pensée devient sexuelle. Vous êtes le type de personne à qui on a envie de dire qu'il y a autre chose que la sexualité dans la vie. À moins que votre partenaire ne soit comme vous, cela doit parfois faire des flammèches dans votre vie, et il (elle) doit vous trouver bien achalant(e) avec ça. Remarquez qu'il est possible que votre grande préoccupation vis-à-vis de la sexualité vienne en partie du peu d'intérêt que votre douce moitié y accorde. À ce moment-là, c'est une autre histoire... dont on reparle tout de suite.

LE SYSTÈME CHASSEUR-GIBIER

Dans les couples où l'importance donnée à la sexualité diffère beaucoup d'un partenaire à l'autre s'installe souvent ce que j'appelle le système chasseur-gibier.

Supposons que Monsieur a le goût de faire l'amour trois fois par semaine et Madame une fois par mois. De toute évidence, il y a une mésentente sur le plan du désir sexuel. Chacun de son côté, les deux patenaires commencent à calculer les jours qui les séparent de la dernière relation sexuelle. Monsieur ronge son frein, Madame apprend à se protéger. Lentement mais sûrement, elle se referme et cesse d'avoir des élans d'affection de peur que Monsieur les interprète comme le signe d'un désir de faire l'amour. Simultanément, Monsieur surveille les moindres faits et gestes de Madame dans l'espoir justement d'y apercevoir ces signaux. Elle est le gibier, il est le chasseur. Son désir à lui devient de plus en plus fort, tandis que chez sa partenaire c'est l'inverse qui se produit. Elle fait tellement attention de ne pas se laisser aller qu'elle perd totalement contact avec son désir.

Lorsqu'un couple vient me consulter avec un problème de ce type, ma première tâche sera de défaire ce système. C'est en général plus facile à dire qu'à faire. Mais avec la coopération des deux partenaires, on y arrive dans 75 p. cent des cas.

Êtes-vous un bon amant ou une bonne maîtresse?

Voilà une question à laquelle il est pratiquement impossible de répondre. Qu'est-ce qu'un bon amant. Qu'est-ce qu'une bonne maîtresse? Chacun de nous a sa petite idée là-dessus sans nécessairement être capable de l'exprimer clairement. Le bon amant, est-ce celui qui performe le plus longtemps ou celui qui est le plus tendre? La bonne maîtresse, est-ce l'experte en fellation[1] ou la multi-orgasmique? Selon l'importance qu'on accorde à telle ou telle activité, la réponse variera fortement d'une personne à l'autre.

Si l'on ne peut dire exactement ce qu'est un bon amant ou une bonne maîtresse, par contre il est possible de dégager certaines attitudes qui différencient le bon du moins bon, au féminin comme au masculin. Lesquelles? C'est ce que nous verrons ensemble après que vous aurez répondu aux questions qui suivent.

1. Action d'embrasser le pénis de son partenaire.

QUEL TYPE DE MAÎTRESSE ÊTES-VOUS?

1 - Dans le domaine de la sexualité, ce qui compte le plus pour moi, c'est :
❑ a) Ma satisfaction.
❑ b) La satisfaction de mon partenaire.
❑ c) Le nombre de mes orgasmes.

2 - Selon moi, les caresses :
❑ a) Sont aussi importantes pour l'homme que pour la femme.
❑ b) Servent surtout à me préparer.
❑ c) Sont une perte de temps.

3 - Une bonne maîtresse doit :
❑ a) Être attentive à ses besoins, mais aussi aux besoins de son partenaire.
❑ b) Savoir faire jouir son partenaire.
❑ c) Ne pas avoir de problème à atteindre l'orgasme.

4 - La bonne maîtresse :
❑ a) Peut se sentir plus disponible à certains moments qu'à d'autres.
❑ b) Répond d'abord au désir de l'homme.
❑ c) Est toujours prête.

5 - Dans une relation sexuelle, si mon partenaire me caresse plus de 5 minutes :
❑ a) Je goûte pleinement le plaisir qu'il me procure.
❑ b) Je le caresse à mon tour.
❑ c) Jamais, je ne le laisserais me caresser aussi longtemps.

6 - Après avoir fait l'amour :
❑ a) Je dis à mon partenaire comme je me sens bien auprès de lui.
❑ b) Je demande à mon partenaire s'il a aimé ça.
❑ c) Je me retourne et je m'endors.

7 - Pour moi, une relation sexuelle sans pénétration
❑ a) Peut être agréable.
❑ b) Peut être agréable pour moi, mais sûrement pas pour mon partenaire.
❑ c) Est inconcevable.

8 - Un homme avec un petit pénis

❑ a) Peut faire autant jouir sa partenaire. La grosseur du pénis n'a rien à voir là-dedans.

❑ b) Doit se montrer plus habile qu'un autre s'il veut faire jouir sa partenaire.

❑ c) Ne peut faire jouir sa partenaire.

9 - Sexuellement :

❑ a) J'exprime clairement et facilement ce que je désire.

❑ b) Je ne lui demande rien de particulier car je ne veux pas le blesser.

❑ c) Je considère que l'homme doit savoir instinctivement comment caresser la femme.

10 - Je veux que mon partenaire :

❑ a) Soit capable de me faire jouir par pénétration.

❑ b) Soit fier de lui après l'amour.

❑ c) Soit satisfait après l'amour.

11 - Lorsque je fais l'amour :

❑ a) J'aime parler avec mon partenaire.

❑ b) On ne parle pas beaucoup car cela le déconcentre.

❑ c) On n'a pas vraiment le temps de parler.

12 - Le nombre d'orgasmes que j'obtiens lors des relations sexuelles :

❑ a) Importe peu. Si je suis satisfaite, c'est ce qui compte.

❑ b) Compte pour moi parce que mon partenaire y attache beaucoup d'importance.

❑ c) Plus il y en a, mieux c'est.

13 - L'homme est un être de sexe et la femme un être d'amour. Selon moi, cette affirmation :

❑ a) Équivaut à dire que la femme n'a pas de véritables besoins sexuels et que l'homme ne peut aimer. Je ne suis pas d'accord.

❑ b) Peut parfois se vérifier.

❑ c) Correspond à la réalité.

14 - Pour moi, la réussite d'une relation sexuelle est la responsabilité :

❑ a) Pourquoi parler de réussite? Je préfère employer le terme «satisfaction».

❑ b) De l'homme et de la femme.

❑ c) De l'homme.

15 - Pour moi, faire des avances à mon partenaire :

❑ a) Est une chose très naturelle.

- ❑ b) Est un peu difficile, mais je m'y risque quand même.
- ❑ c) Je ne fais pas d'avances à mon partenaire. Je pense que c'est son rôle à lui.

❦❦❦

QUEL TYPE D'AMANT ÊTES-VOUS?

1 - Dans le domaine de la sexualité, ce qui compte le plus pour moi c'est :
- ☑ a) Ma satisfaction.
- ❑ b) La satisfaction de ma partenaire.
- ❑ c) Ma performance.

2 - Selon moi, les caresses :
- ☑ a) Sont aussi importantes pour l'homme que pour la femme.
- ❑ b) Servent surtout à préparer la femme.
- ❑ c) Sont une perte de temps.

3 - Un bon amant doit :
- ☑ a) Être attentif à ses besoins, mais aussi aux besoins de sa partenaire.
- ❑ b) Savoir faire jouir sa partenaire.
- ❑ c) Ne pas avoir de problème d'érection.

4 - Le bon amant :
- ☑ a) Peut se sentir plus disponible à certains moments qu'à d'autres.
- ❑ b) Répond d'abord au désir de la femme.
- ❑ c) Est toujours prêt.

5 - Dans une relation sexuelle, si ma partenaire me caresse :
- ☑ a) Je goûte pleinement le plaisir qu'elle me procure.
- ❑ b) Je la caresse à mon tour.
- ❑ c) Je ne la laisserais jamais me caresser aussi longtemps.

6 - Après avoir fait l'amour :
- ❑ a) Je dis à ma partenaire comme je me sens bien auprès d'elle.

- [x] b) Je demande à ma partenaire si elle a joui.
- [ ] c) Je me retourne et je m'endors.

7 - Pour moi, une relation sexuelle sans pénétration :
- [ ] a) Peut être agréable .
- [x] b) Peut être agréable pour moi, mais sûrement pas pour mon partenaire.
- [ ] c) Est inconcevable.

8 - Un homme avec un petit pénis :
- [x] a) Peut faire jouir sa partenaire. La grosseur du pénis n'a rien à voir là-dedans.
- [ ] b) Doit se montrer plus habile qu'un autre s'il veut faire jouir sa partenaire.
- [ ] c) Ne peut faire jouir sa partenaire.

9 - Sexuellement :
- [ ] a) J'exprime clairement et facilement ce que je désire.
- [ ] b) Je ne lui demande rien de particulier car je ne veux pas la blesser.
- [x] c) Je considère que l'homme doit savoir instinctivement comment caresser la femme.

10 - Je veux que ma partenaire :
- [x] a) Soit satisfaite après l'amour.
- [ ] b) Ait un ou plusieurs orgasmes.
- [ ] c) Jouisse par pénétration.

11 - Lorsque je fais l'amour :
- [ ] a) J'aime parler à ma partenaire.
- [ ] b) Je préfère qu'elle se taise car cela me déconcentre.
- [x] c) On n'a pas vraiment le temps de parler.

12 - Le nombre d'orgasmes que je procure à ma partenaire :
- [x] a) Importe peu. Ce qui compte, c'est qu'on soit satisfait.
- [ ] b) Compte pour moi parce que ma partenaire y attache beaucoup d'importance.
- [ ] c) Est très important.

13 - L'homme est un être de sexe et la femme un être d'amour. Selon moi, cette affirmation :
- [ ] a) Équivaut à dire que les hommes sont incapables d'aimer et les femmes n'ont pas de véritables besoins sexuels. Je ne suis pas d'accord.
- [ ] b) Peut parfois se vérifier.
- [x] c) Correspond à la réalité.

14 - Pour moi, la réussite d'une relation sexuelle est la responsabilité :

❑ a) Pourquoi parler de réussite? Je préfère employer le terme «satisfaction».

❑ b) De l'homme et de la femme.

❑ c) De l'homme.

15 - Si ma partenaire me fait des avances :

❑ a) Je suis aux oiseaux.

❑ b) Je ne me sens pas très à l'aise.

❑ c) Je ne crois pas que ce soit son rôle.

CALCULEZ LES RÉSULTATS

Additionnez le nombre de A. Faites de même avec les B ainsi qu'avec les C.

INTERPRÉTATION DES RÉSULTATS

Vous avez peut-être remarqué qu'à chacune des questions les trois choix de réponse correspondaient à des attitudes bien définies, c'est-à-dire :

A réponse qui met l'accent sur la satisfaction et (ou) la qualité de la communication entre les deux partenaires.

B réponse qui met l'accent sur la satisfaction de l'autre.

C réponse qui met l'accent sur la performance et (ou) des stéréotypes sexuels largement répandus.

Première possibilité :
Une tendance claire et nette se dessine.

Par exemple, vous avez 12 C, 2 B et 1 A, vous vous retrouvez donc dans le club des performeurs. Pour vous ce qui compte, ce sont les résultats. Si vous êtes un homme, il serait surprenant que vous ayez des problèmes d'érection. Par contre, il est fort possible que votre partenaire vous reproche votre manque de tendresse et d'attention à son égard.

Autre exemple, vous avez répondu 11 fois A, 3 fois B, 1 fois C. Vous, vous faites plus partie du club des jouisseurs. Pour vous, la sexualité est d'abord un lieu de partage et de plaisir. À première vue, votre performance semble vous préoccuper peu. Je dis à première vue, parce que, pour certaines personnes, une indifférence trop marquée est une façon de camoufler la certitude de ne pas être à la hauteur. Si vous êtes une femme, ce peut être la peur de ne pas atteindre l'orgasme, si vous êtes un homme la crainte de ne pas vous rendre jusqu'au bout. Je ne dis pas que c'est ce qui se passe pour vous. Mais cela pourrait être le cas. Vous seul, dans le fond, le savez.

Dernier exemple (pour la majorité), c'est le B qui se démarque : 11 B, 2A, 2C. Vous appartenez au club des anxieux. Vous faites l'amour en vous préoccupant sans cesse de l'autre. Ce qui importe, c'est son plaisir. Vous avez un rendement à fournir. Si vous n'arrivez pas à la ou le satisfaire, vous êtes énormément déçu(e). Avec la pression que vous vous mettez sur les épaules il se pourrait fort bien que vous éprouviez des difficultés de fonctionnement sexuel dans votre vie (éjaculation précoce, impuissance, problème d'excitation, anorgasmie, etc.).

Deuxième possibilité :
Deux types de réponses ressortent.

Axe A-B : Vous avez 6A, 7B, 2C (ou à peu près).
Vos réponses indiquent une tendance à privilégier à la fois votre plaisir, mais aussi le plaisir de l'autre. Voilà un mélange très intéressant pour vous et pour votre partenaire. Toutefois, cela demande une grande qualité de communication sexuelle.

Axe A-C : Vous avez 6A, 3B, 6C (ou à peu près).
Vous semblez vous préoccuper principalement de votre plaisir et de votre performance. Je ne suis pas certaine que votre partenaire y trouve son compte. Par hasard, ne vous aurait-il ou elle jamais reproché votre égoïsme?

Axe B-C : Vous avez 2A, 7B, 6C (ou à peu près)
Vous ne pensez pas du tout à vous. Vous êtes le candidat idéal à l'anxiété face à la performance et aux problèmes qui en découlent. Cessez de penser que la chambre à coucher est une salle d'examens de fin d'année. Vous vous sentirez sans doute un peu moins stressé.

Troisième possibilité :
Aucune tendance ne se dégage.

Vos réponses sont un joyeux mélange de A, B et C. Vous avez 4A, 6B, 5C (ou à peu près).

Votre but n'est peut-être pas d'atteindre l'équilibre, mais chose sûre et certaine vous y tendez. Êtes-vous l'amant ou la maîtresse idéal? Je ne le sais pas, mais vous pourriez peut être demander à l'être aimé ce qu'il ou elle en pense.

Votre degré de sensualité

Dans «sensualité», on retrouve le mot «sens», ces sens que nous utilisons à tous les moments de notre existence, mais que nous avons souvent tendance à oublier. Nous ne nous en occupons pas. Pressés par la vie, nous mangeons sans trop accorder d'attention au goût, nous regardons sans voir, nous n'entendons plus les bruits quotidiens, nous nous touchons à peine et les odeurs inhabituelles sont bannies.

Bien sûr, je généralise. Vous n'êtes pas nécessairement aussi étranger à vos sens que je viens de le dire. Mais avouons que le rythme de la vie moderne ne nous aide guère. La sensualité étant la capacité de prendre conscience et de retirer du plaisir de nos sensations, cela implique que nous y consacrions un certain temps. Par exemple, déguster prend plus de temps que s'empiffrer, mais c'est bien meilleur.

Certains diront qu'ils ne sont pas sensuels. Pourtant, à partir du moment où une personne est capable d'apprécier la chaleur du doux soleil d'avril, elle a un potentiel de sensualité. Je n'ai jamais vu dans mon bureau d'homme ni de femme véritablement non sensuels. Par contre, j'en ai rencontré beaucoup qui ne se donnaient pas le droit de se laisser aller à leur sensualité.

Si vous êtes insatisfait de votre vie sexuelle, la cause de vos soucis est peut-être là. Vous et (ou) votre partenaire ne laissez peut-être pas beaucoup de place à la sensualité dans votre sexualité. Je ne dis pas que c'est la seule cause de mésentente sexuelle, loin de là. Mais ça vaut la peine d'y regarder d'un peu plus près. Nous nous retrouvons dans quelques pages.

VOTRE DEGRÉ DE SENSUALITÉ (MADAME)

1 - Je mange :

❑ a) Pour le plaisir.
❑ b) Beaucoup trop.
❑ c) Pour me nourrir.
❑ d) Je suis plutôt du type anorexique.

2 - J'ai acheté un vêtement beau mais inconfortable :

❑ a) Je le porte régulièrement parce qu'on m'a dit qu'il m'allait bien.
❑ b) Je le porte une fois et je l'oublie dans la garde-robe.
❑ c) J'essaie de le modifier pour le rendre plus confortable.
❑ d) Je n'achète que des vêtements confortables.

3 - Ma belle-soeur me raconte sa dernière visite chez la massothérapeute. Elle semble trouver cela très agréable :

❑ a) Je lui demande le numéro de téléphone de sa massothérapeute.
❑ b) Je me dis qu'elle est chanceuse de pouvoir s'offrir ce luxe.
❑ c) Je me dis que ce sont des choses qui ne se racontent pas.
❑ d) Je me demande comment elle fait pour se laisser tripoter.

4 - Parmi ces quatre femmes, celle à qui j'aimerais le plus ressembler est :

❑ a) Mère Thérésa.
❑ b) Catherine Deneuve.
❑ c) Madonna.
❑ d) Marilyn Monroe.

5 - Je choisis mes aliments d'abord en fonction :

❑ a) De leur goût.
❑ b) De leur valeur nutritive.
❑ c) De leur coût.
❑ d) De l'équilibre entre ces trois éléments.

6 - Un génie m'offre une de ces quatre grâces, je choisis :

❑ a) La perfection.
❑ b) La gloire.
❑ c) La richesse.
❑ d) Le plaisir.

7 - On me demande ce que je désire pour mon anniversaire, je réponds :

- ❑ a) Une bonne bouteille de vin.
- ❑ b) Un bon livre.
- ❑ c) Un paquet de disquettes d'ordinateur.
- ❑ d) Je ne veux pas de cadeau.

8 - Enfin une soirée libre! Mon compagnon a emmené les enfants à la Ronde. J'en profite pour :

- ❑ a) Faire le ménage.
- ❑ b) Regarder la télévision.
- ❑ c) Me faire livrer une pizza et terminer la lecture du thriller que j'ai commencé il y a deux jours.
- ❑ d) Prendre un bain chaud et me préparer un bon petit repas pour moi toute seule.

9 - J'aimerais passer mes vacances à :

- ❑ a) Me baigner et me prélasser au soleil.
- ❑ b) Faire des randonnées à vélo.
- ❑ c) Dormir.
- ❑ d) Rénover ma salle de bains.

10 - Je souhaite que :

- ❑ a) Les journées aient 48 heures.
- ❑ b) La vie soit éternelle.
- ❑ c) Les fins de semaine aient 4 jours.
- ❑ d) Les vacances durent 6 mois.

11 - Entre un bain et une douche, je choisis :

- ❑ a) La douche parce que j'aime sentir les jets d'eau sur mon corps.
- ❑ b) Le bain parce que c'est relaxant.
- ❑ c) La douche parce que c'est plus rapide et plus hygiénique.
- ❑ d) Je n'ai pas de préférence.

12 - Si j'étais un animal, je serais :

- ❑ a) Un castor.
- ❑ b) Un cheval.
- ❑ c) Un chien.
- ❑ d) Un chat.

13 - Lors que je ne serai plus là, j'aimerais qu'on se souvienne de moi comme :

- ❑ a) D'une amoureuse passionnée.
- ❑ b) D'une amante de la bonne chère.
- ❑ c) D'une travailleuse compétente.
- ❑ d) J'aime autant qu'on ne se souvienne pas de moi.

14 - Ma devise pourrait être :

- ❑ a) La vie est un incessant combat.
- ❑ b) On récolte ce qu'on sème.
- ❑ c) Pourquoi remettre au lendemain ce qui peut être fait le surlendemain.
- ❑ d) Vivre pleinement chaque journée pour profiter entièrement de la vie.

15 - Je touche mon corps :

- ❑ a) Pour le plaisir.
- ❑ b) Pour en prendre soin.
- ❑ c) Pour vérifier si je n'ai pas engraissé.
- ❑ d) J'évite de me toucher.

16 - On m'invite au restaurant de mon choix, je vais :

- ❑ a) Dans un restaurant à la mode que des gens connus fréquentent.
- ❑ b) Dans un restaurant reconnu pour la générosité de ses portions.
- ❑ c) Dans un petit restaurant que j'aime bien .
- ❑ d) Dans un restaurant réputé pour la qualité de sa cuisine.

17 - Pour moi, une chambre à coucher doit être :

- ❑ a) Confortable.
- ❑ b) Belle à regarder.
- ❑ c) Fonctionnelle.
- ❑ d) S'il y a un lit, le reste m'importe peu.

18 - Lorsque je rencontre une persone, spontanément :

- ❑ a) Je lui dis bonjour poliment.
- ❑ b) Je lui dis bonjour et lui donne la main mais du bout des doigts.
- ❑ c) Je lui donne une bonne poignée de main.
- ❑ d) Je lui prends la main et lui fais la bise.

19 - Je me considère comme un être :

- ❑ a) Très sensuel.
- ❑ b) Assez sensuel.
- ❑ c) Peu sensuel.
- ❑ d) Froid.

20 - Je pense être une personne qui :

- ❑ a) N'aime pas vraiment les contacts physiques.
- ❑ b) Aime les contacts physiques mais seulement avec mon conjoint.
- ❑ c) Aime les contacts physiques mais seulement avec les gens avec qui je suis très proche.
- ❑ d) Aime les contacts physiques et les recherche.

VOTRE DEGRÉ DE SENSUALITÉ (MONSIEUR)

1 - **Je mange :**

❑ a) Pour le plaisir.
❑ b) Beaucoup trop.
❑ c) Pour me nourrir.
❑ d) Je suis plutôt du type anorexique.

2 - **J'ai acheté un vêtement beau mais inconfortable :**

❑ a) Je le porte régulièrement parce qu'on m'a dit qu'il m'allait bien.
❑ b) Je le porte une fois et je l'oublie dans la garde-robe.
❑ c) J'essaie de le modifier pour le rendre plus confortable.
❑ d) Je n'achète que des vêtements confortables.

3 - **Mon beau-frère me raconte sa dernière visite chez son massothérapeute. Il semble trouver cela très agréable :**

❑ a) Je lui demande le numéro de téléphone de son massothérapeute.
❑ b) Je me dis qu'il est chanceux de pouvoir s'offrir ce luxe.
❑ c) Je me dis que ce sont des choses qui ne se racontent pas.
❑ d) Je me demande comment il fait pour se laisser tripoter par un homme et, en plus, un étranger.

4 - **Parmi ces quatre hommes, celui à qui j'aimerais le plus ressembler est :**

❑ a) Jean-Paul II.
❑ b) Roch Voisine.
❑ c) Mick Jagger.
❑ d) Marlon Brando (dans ses belles années).

5 - **Je choisis mes aliments d'abord en fonction :**

❑ a) De leur goût.
❑ b) De leur valeur nutritive.
❑ c) De leur coût.
❑ d) De l'équilibre entre ces trois éléments.

6 - **Un génie m'offre une de ces quatre grâces, je choisis :**

❑ a) La perfection.
❑ b) La gloire.
❑ c) La richesse.
❑ d) Le plaisir.

7 - On me demande ce que je désire pour mon anniversaire, je réponds :

- ☑ a) Une bonne bouteille de vin.
- ❑ b) Un bon livre.
- ❑ c) Un paquet de disquettes d'ordinateur.
- ❑ d) Je ne veux pas de cadeau.

8 - Enfin une soirée libre! Ma compagne a emmené les enfants à la Ronde. J'en profite pour :

- ❑ a) Nettoyer le garage.
- ☑ b) Regarder la télévision.
- ❑ c) Me faire livrer une pizza et terminer la lecture du thriller que j'ai commencé il y a deux jours.
- ❑ d) Prendre un bain chaud et me préparer un bon petit repas pour moi tout seul.

9 - J'aimerais passer mes vacances à :

- ☑ a) Me baigner et me prélasser au soleil.
- ❑ b) Faire des randonnées en vélo.
- ❑ c) Dormir.
- ❑ d) Rénover ma salle de bains.

10 - Je souhaite que :

- ❑ a) Les journées aient 48 heures.
- ❑ b) La vie soit éternelle.
- ☑ c) Les fins de semaine aient 4 jours.
- ❑ d) Les vacances durent 6 mois.

11 - Entre un bain et une douche, je choisis :

- ❑ a) La douche parce que j'aime sentir les jets d'eau sur mon corps.
- ❑ b) Le bain parce que c'est relaxant.
- ☑ c) La douche parce que c'est plus rapide et plus hygiénique.
- ❑ d) Je n'ai pas de préférence.

12 - Si j'étais un animal, je serais :

- ❑ a) Un castor.
- ☑ b) Un cheval.
- ❑ c) Un chien.
- ❑ d) Un chat.

13 - Lorsque je ne serai plus là, j'aimerais qu'on se souvienne de moi comme :

- ❑ a) D'un amoureux passionné.
- ❑ b) D'un amant de la bonne chère.
- ☑ c) D'un travailleur compétent.
- ❑ d) J'aime autant qu'on ne se souvienne pas de moi.

14 - Ma devise pourrait être :
- [ ] a) La vie est un incessant combat.
- [ ] b) On récolte ce qu'on sème.
- [ ] c) Pourquoi remettre au lendemain ce qui peut être fait le surlendemain.
- [x] d) Vivre pleinement chaque journée pour profiter entièrement de la vie.

15 - Je touche mon corps
- [ ] a) Pour le plaisir.
- [x] b) Pour en prendre soin.
- [ ] c) Pour vérifier si je n'ai pas engraissé.
- [ ] d) J'évite de me toucher.

16 - On m'invite au restaurant de mon choix, je vais :
- [ ] a) Dans un restaurant à la mode que des gens connus fréquentent.
- [ ] b) Dans un restaurant reconnu pour la générosité de ses portions.
- [x] c) Dans un petit restaurant que j'aime bien .
- [ ] d) Dans un restaurant réputé pour la qualité de sa cuisine.

17 - Pour moi, une chambre à coucher doit être :
- [ ] a) Confortable.
- [ ] b) Belle à regarder.
- [x] c) Fonctionnelle.
- [ ] d) S'il y a un lit, le reste m'importe peu.

18 - Lorsque je rencontre une persone, spontanément :
- [ ] a) Je lui dis bonjour poliment.
- [ ] b) Je lui dis bonjour et lui donne la main mais du bout des doigts.
- [x] c) Je lui donne une bonne poignée de main.
- [ ] d) Je lui prends la main et lui fais la bise.

19 - Je me considère comme un être :
- [ ] a) Très sensuel.
- [x] b) Assez sensuel.
- [ ] c) Peu sensuel.
- [ ] d) Froid.

20 - Je pense être une personne qui :
- [ ] a) N'aime pas vraiment les contacts physiques.
- [x] b) Aime les contacts physiques mais seulement avec ma conjointe.
- [ ] c) Aime les contacts physiques mais seulement avec les gens avec qui je suis très proche.
- [ ] d) Aime les contacts physiques et les recherche.

CALCULEZ LES RÉSULTATS

Aux questions 1-3-7-9-11-13-15-17-19 :

Pour chaque A, donnez-vous 3 points.
Pour chaque B, donnez-vous 2 points.
Pour chaque C, donnez-vous 1 point.
Pour chaque D, donnez-vous 0 point.

Aux questions 2-4-6-8-10-12-14-16-18-20

Pour chaque A, donnez-vous 0 point.
Pour chaque B, donnez-vous 1 point.
Pour chaque C, donnez-vous 2 points.
Pour chaque D, donnez-vous 3 points.

À la question 5, si vous avez répondu :
A Donnez-vous 3 points.
B Donnez-vous 1 point.
C Donnez-vous 0 point.
D Donnez-vous 2 points.

INTERPRÉTATION DES RÉSULTATS

Vous avez obtenu :

- **Entre 0 et 15 points :**

Mis à part le travail et la satisfaction d'avoir fait ce que vous aviez à faire, vous ne semblez pas avoir beaucoup de plaisir dans la vie. La vie a-t-elle été si cruelle envers vous que vous ayez dû vous fermer à toute sensation pour ne pas trop souffrir? Ou êtes-vous, comme certains doivent le supposer en vous regardant aller, un être froid et insensible? Voilà sans doute une bonne occasion de faire ce petit examen de conscience.

- **Entre 15 et 30 points :**

Vous n'êtes pas un bloc de glace mais vous n'êtes pas non plus un volcan en action. Vous pouvez exprimer une certaine sensualité mais vous ne vous sentez pas toujours à l'aise dans les effusions d'affection. Vous êtes d'un type plutôt réservé, et vous devez avoir quelquefois de la difficulté à vous abandonner à vos sensations. Serait-il possible que vous ayez toujours quelque chose de plus important à faire que de simplement vous laisser aller à goûter les plaisirs (petits et grands) de la vie? Pensez-y.

- **Entre 31 et 45 points :**

Vous êtes bien conscient de vos sens et du plaisir qu'ils peuvent vous procurer. Toutefois, vous n'êtes pas qu'un être de sensations. Vous êtes conscient d'avoir, en certaines circonstances, à contrôler celles-ci. Par contre, si les obligations et responsabilités quotidiennes ne vous laissent pas toujours libre de profiter de la vie comme vous le voudriez, vous êtes capable d'apprécier les plaisirs qui s'offrent à vous.

- **Entre 46 et 60 points :**

Pas d'erreur, vous êtes un sensuel! Tout pour vous est prétexte à goûter, toucher, sentir, etc. Cela ne doit pas être facile pour vous de refuser une invitation au plaisir, quel qu'il soit. Comme vous êtes très près de vos sens, cela peut être à la fois un avantage et un désavantage. D'un côté, vous ressentez avec plus d'acuité que certains les sensations plaisantes, mais d'un autre côté vous ressentez aussi avec autant d'intensité les sensations déplaisantes.

ELLE EST SENSUELLE, IL NE L'EST PAS OU VICE VERSA

Là encore, ce qui engendre les conflits, ce sont les tendances trop opposées. Dans un couple, il est normal que les deux n'aient pas un niveau identique de sensualité. Toutefois, si vous avez obtenu un score de 8 et qu'il ou elle ait 57, il est évident que vous n'êtes pas sur la même longueur d'onde en ce qui a trait à la sensualité. Et vous n'aviez sans doute pas besoin de ce test pour le savoir. Mais comment peut-on se rejoindre lorsqu'on est si différents?

Il n'y a malheureusement pas de recette miracle. Cependant, si l'on accepte tous deux de faire notre petit bout de chemin, il est possible d'apprivoiser la façon d'être de l'autre. Il faudra pour cela que l'ultra-sensuel accepte que ce qui est évident pour lui (exemple : le plaisir de caresser et de se faire caresser) n'est pas évident pour l'autre. Quant à l'hypo-sensuel, il devra accepter de jouer le jeu, même si au départ tout cela lui semble du taponnage bien inutile. Voici donc quelques suggestions d'expériences de sensualité.

EXPÉRIENCE I : LE JEU DES OBJETS

Choisissez ensemble 25 objets de formes et de textures différentes (exemple : un ours en peluche, un foulard de soie, un livre, un crayon, une assiette, etc.). Déposez votre butin au pied du lit. Tirez à pile ou face qui sera le premier receveur.

Ceci fait, le receveur s'installe nu et à plat ventre sur le lit. Il a les yeux bandés. Le donneur choisit un premier objet et le fait glisser délicatement sur le corps du receveur. Ce dernier essaye, sans l'aide de ses mains, de découvrir quel est cet objet. Si la sensation est désagréable ou si, après une minute, il n'arrive pas à trouver de quoi il s'agit, le donneur lui donne la réponse et passe à un autre objet. S'il le désire, le receveur peut, en cours d'expérience, se tourner sur le dos.

Puis, on intervertit les rôles. Le donneur devient receveur et le receveur devient donneur.

Pour mettre un peu de piquant, on peut y aller d'un petit pari. Par exemple, celui qui découvre le plus d'objets se fait servir son petit déjeuner par l'autre le lendemain.

N.B. Méfiez-vous, ce petit jeu est moins facile qu'il n'en a l'air.

EXPÉRIENCE II : LE JEU DES GOÛTS

Tirez à pile ou face qui sera le premier receveur. Le donneur lui bande les yeux. Ensuite le donneur ira choisir une dizaine d'aliments différents (exemple : miel, beurre d'arachides, vinaigre, confitures, huile, sel, vin, fines herbes, etc.). Puis délicatement, le donneur fait goûter au receveur les différents aliments. Ils seront sans doute assez faciles à identifier. Cependant, le fait d'avoir les yeux bandés et de ne pas savoir à l'avance à quoi l'on goûtera modifie nos perceptions et nous amène à être plus attentif aux différences de goûts.

Puis, on intervertit les rôles. Le deuxième donneur n'est pas obligé de choisir les mêmes aliments que ceux de son conjoint.

EXPÉRIENCE III : COMMUNICATION SENSUELLE I

Les exercices de communication sensuelle ont été conçus par Masters et Johnson dans les années 70. Le but visé par ces exercices est d'amener le couple à se concentrer sur les sensations plutôt que sur la performance et à mieux communiquer sensuellement et sexuellement.

Il s'agit d'un exercice de toucher, où les deux partenaires auront l'un après l'autre à assumer les rôles de donneur et de receveur.

Dans cet exercice, il n'y a pas de touchers aux organes génitaux de l'homme et de la femme ni aux seins de la femme.

Dans un premier temps, le receveur s'allonge sur le ventre. Son attitude doit en être une de réceptivité et de disponibilité. Il n'aura rien à faire, sinon qu'accepter ce qu'on lui donnera comme un cadeau. Il est donc totalement passif et silencieux. Il ne parlera que si ce qu'il ressent est désagréable, par exemple si ça le chatouille. Sinon, il se tait et se concentre sur ses sensations. Ses mains doivent rester sur le lit et il lui est interdit d'essayer de caresser le donneur.

Le donneur, quant à lui, se sert de son imagination. Il peut caresser, bien sûr, avec ses mains, mais aussi avec ses cheveux, ses lèvres, sa langue, ses dents, etc. Il se concentre sur les textures de peau (caresser une fesse, ce n'est pas exactement comme caresser un lobe d'oreille) et sur ce qu'il ressent émotivement en donnant les caresses. Pour savoir si ce qu'il fait est bien reçu par l'autre, il se fie à l'attitude du receveur. S'il ressemble à un gros «nounours», c'est bon signe. Mais s'il semble aussi figé que s'il attendait l'autobus à -20 °C, c'est sans doute le signe qu'il faut changer la technique.

Après dix minutes, le donneur tourne le receveur sur le dos (un peu comme un barbecue). C'est le seul moment de l'exercice où le receveur peut être moins passif et s'aider un peu pour se retourner.

Après vingt minutes, on intervertit les rôles. Le donneur devient receveur et le receveur devient donneur.

Le premier receveur est tenu de devenir donneur immédiatement après avoir reçu. Il n'est pas question qu'il remette la suite de l'exercice au lendemain sous prétexte qu'il est trop détendu et qu'il n'a qu'une seule envie : dormir. Quand on reçoit, on donne tout de suite après.

Après l'exercice, on se donne quelques minutes pour parler de ce qu'on a ressenti, de l'appréciation qu'on fait de l'exercice, des choses que l'on a découvertes.

Je recommande fortement de faire cet exercice avec une horloge. C'est peut-être un peu simpliste, mais cela évite les disputes de ménage, genre : «Il me semble que mon vingt minutes a été pas mal plus long que ton vingt minutes.»

On peut, si cela nous tente, utiliser une huile de massage ou plus simplement une huile d'amande douce. On trouve cette dernière pour quelques dollars, en pharmacie, dans la section des soins dermatologiques. Quant aux huiles de massage, bien lire le contenu avant de faire son choix. Éviter les huiles minérales et les produits qui peuvent irriter la peau. L'emploi d'une huile modifie les sensations et facilite le glissement de la main sur la peau.

Si on fait cet exercice de manière mécanique, ce sera sans doute très ennuyeux. Aussi, est-il important de créer une ambiance agréable avant de se mettre à la «tâche». Des exemples de ce qu'on peut faire alors : prendre un bain à deux, s'offrir un verre de vin mousseux, avoir un éclairage approprié, une température confortable, on peut aussi faire jouer une musique relaxante, etc.

Cet exercice n'est pas préliminaire à une relation sexuelle. Il s'agit, il ne faut pas l'oublier, d'une expérience de communication sensuelle sans autre but que d'échanger des sensations plaisantes. Il est donc interdit de faire l'amour après l'avoir terminé.

Je suggère au couple de faire cet exercice trois fois avant de passer à l'étape suivante. On doit consacrer au moins une semaine à chaque étape.

EXPÉRIENCE IV : COMMUNICATION SENSUELLE II

Cet exercice a pour objectif d'apprendre à l'autre ce qu'on aime et désire comme caresse. Au contraire des autres domaines de la vie où l'on s'informe des goûts et des préférences de l'autre, ici, sur le plan de la sexualité on joue souvent à la devinette. On ne se donne aucun renseignement : «Si l'autre m'aime, il va savoir instinctivement ce que je veux.» Entre vous et moi, ce n'est pas du tout évident que l'autre va deviner qu'on aime être effleuré sur la plante des pieds. De plus, notre tendance naturelle est de donner à l'autre ce qu'on aimerait recevoir. Si l'on aime être effleuré, on effleure l'autre, dans l'espoir qu'il trouve cela agréable et nous fasse la même chose. Le problème, c'est que l'autre est peut-être extrêmement chatouilleux. Aussi, n'aura-t-il jamais l'idée de nous effleurer et nous donnera, dans le même esprit que nous, le massage profond qui l'envoie au septième ciel, mais qui nous endort profondément. Cet exercice vise donc à se donner ces informations d'une façon plus directe et plus efficace.

Cet exercice ressemble beaucoup au précédent. Il y a un donneur et un receveur, pas de touchers aux organes génitaux de l'homme et de la femme, ni de touchers aux seins de la femme. Il a la même durée et il est interdit de faire l'amour après l'avoir terminé. Ce qui différencie la «communication sensuelle II» de la «communication sensuelle I», c'est le rôle imparti au receveur et au donneur.

Alors que dans la communication sensuelle I le receveur est totalement passif, dans cet exercice, il devient en quelque sorte le personnage important. Il aura un rôle de professeur auprès du donneur. Il devra, bien sûr, lui dire ce qu'il veut : «Plus fort, moins fort, touche-moi plus vite, moins vite, à tel endroit j'aime particulièrement cela, tel autre endroit me laisse indifférent, etc.» Mais il aura aussi à lui montrer tactilement, c'est-à-dire que le receveur, à certains moments, pourra prendre la main du donneur et indiquer en appuyant sa main sur la main du donneur le type de pression exacte qu'il désire.

Au bout de vingt minutes, on intervertit les rôles. Après l'exercice, on prend quelques minutes pour échanger verbalement sur ce dernier.

On n'oublie pas : une ambiance agréable et pas de relations sexuelles après!

Êtes-vous satisfait sexuellement?

Voilà une question à laquelle, malgré sa simplicité apparente, il n'est pas toujours facile de répondre. C'est quoi la satisfaction? Y a-t-il quelque chose de plus subjectif que la satisfaction? Pourtant, en matière de sexualité, c'est le seul véritable critère d'évaluation que nous puissions avoir.

Il est rare qu'on soit totalement satisfait ou insatisfait de sa sexualité. On a, comme dans tous les autres domaines, ses points forts et ses points faibles. Ce que je vous propose donc, c'est d'examiner de plus près chacun des éléments qui composent vos activités sexuelles. Quelle perception avez-vous de votre partenaire, de la pénétration, des préliminaires, du temps alloué à vos activités intimes, etc? En partant de là, et en comparant vos réponses à celles de l'être aimé, vous dégagerez sans doute le ou les petits détails qui font que votre sexualité n'est pas tout à fait celle que vous aviez imaginée.

Enfin, je vous rappelle que, comme dans la grande majorité des tests de cet ouvrage, il n'y a pas de bonnes ou de mauvaises réponses. Partez de vous et de vos perceptions. C'est encore le meilleur moyen de toucher juste.

ÊTES-VOUS SATISFAITE SEXUELLEMENT? (MADAME)

1 - Je trouve mon partenaire sexuel :
- ❑ a) Formidable.
- ❑ b) Cela dépend des jours.
- ❑ c) Où est le comptoir d'échange?

2 - Mon partenaire trouve que la fréquence de nos relations sexuelles est :
- ❑ a) Satisfaisante.
- ❑ b) Plus ou moins satisfaisante.
- ❑ c) Insatisfaisante.

3 - Je trouve la fréquence de nos relations sexuelles :
- ❑ a) Satisfaisante.
- ❑ b) Plus ou moins satisfaisante.
- ❑ c) Insatisfaisante.

4 - Après avoir fait l'amour, je me sens :
- ❑ a) Heureuse et comblée.
- ❑ b) Heureuse que ce soit fini.
- ❑ c) Frustrée et enragée envers mon partenaire.

5 - Nous faisons l'amour :
- ❑ a) Toujours de la même façon.
- ❑ b) En y apportant parfois de la fantaisie.
- ❑ c) Toujours différemment.

6 - Je prends l'initiative sexuelle :
- ❑ a) Rarement ou jamais.
- ❑ b) La plupart du temps.
- ❑ c) Une fois c'est lui, une fois c'est moi.

7 - Les moments passés à faire l'amour sont :
- ❑ a) Des moments de bonheur.
- ❑ b) Des moments agréables.
- ❑ c) Des moments où j'aurais aimé faire autre chose.

8 - Ma sexualité m'apporte :
- ❑ a) Beaucoup de plaisir.
- ❑ b) Un peu de plaisir.
- ❑ c) Des problèmes.

9 - Je pense avoir un problème sexuel :

- ❑ a) Oui.
- ❑ b) Non.
- ❑ c) Peut-être.

10 - Je pense que mon partenaire a un problème sexuel :

- ❑ a) Oui.
- ❑ b) Non.
- ❑ c) Peut-être.

11 - Dans notre couple, la sexualité :

- ❑ a) Est un sujet de dispute.
- ❑ b) Est un sujet de plaisanterie.
- ❑ c) Est un sujet agréable à aborder.

12 - Lorsque nous faisons l'amour, je trouve cela :

- ❑ a) Beaucoup trop long ou beaucoup trop court.
- ❑ b) Un peu trop court ou un peu trop long.
- ❑ c) Juste comme il faut.

13 - J'atteins l'orgasme :

- ❑ a) À chaque relation sexuelle.
- ❑ b) À la plupart des relations sexuelles.
- ❑ c) Jamais ou rarement.

14 - Selon moi, la pénétration est :

- ❑ a) Beaucoup trop longue ou beaucoup trop courte.
- ❑ b) Un peu trop courte ou un peu trop longue.
- ❑ c) Juste assez longue.

15 - Les préliminaires sont :

- ❑ a) Beaucoup trop longs ou beaucoup trop courts.
- ❑ b) Un peu trop courts ou un peu trop longs.
- ❑ c) Juste comme il faut.

16 - Si je le pouvais, j'échangerais ma sexualité contre :

- ❑ a) Une auto neuve.
- ❑ b) Une sexualité plus satisfaisante.
- ❑ c) Je n'ai pas du tout le goût de l'échanger.

17 - Lorsque je nous regarde, mon partenaire et moi, je trouve que sexuellement nous sommes :

- ❑ a) Bien assortis.
- ❑ b) Plus ou moins bien assortis.
- ❑ c) Bien mal pris.

18 - Chaque fois que nous parlons de sexualité :

- ❑ a) Nous nous chicanons.

- ❑ b) Nous nous amusons.
- ❑ c) Nous nous excitons.

19 - Sexuellement, j'ai l'impression que les autres couples :
- ❑ a) Sont plus heureux que nous.
- ❑ b) Sont moins heureux que nous.
- ❑ c) Je n'y ai jamais pensé.

20 - Je me masturbe :
- ❑ a) Régulièrement.
- ❑ b) Rarement.
- ❑ c) Je ne me suis jamais masturbée.

21 - Lorsque je me masturbe :
- ❑ a) J'ai l'impression de me faire un cadeau.
- ❑ b) Je me sens coupable d'avoir recours à cette activité.
- ❑ c) Je ne me suis jamais masturbée.

22 - Je me masturbe parce que :
- ❑ a) J'en ai envie.
- ❑ b) Je n'ai rien de mieux à me mettre sous la dent.
- ❑ c) Je ne me suis jamais masturbée.

23 - Par rapport à l'échelle Richter*, nos relations sexuelles oscillent à :
- ❑ a) 3,2
- ❑ b) 6,2
- ❑ c) 7,5

24 - Je trouve que je suis une amante :
- ❑ a) Exceptionnelle.
- ❑ b) Ordinaire.
- ❑ c) Incompétente.

25 - Si j'avais une note à attribuer à notre sexualité, je lui donnerais :
- ❑ a) Plus de 80 p. cent.
- ❑ b) Entre 60 et 79 p. cent.
- ❑ c) Moins de 60 p. cent.

* Échelle pour mesurer l'intensité des tremblements de terre.

ÊTES-VOUS SATISFAIT SEXUELLEMENT? (MONSIEUR)

1 - Je trouve ma partenaire sexuelle :
- [ ] a) Formidable.
- [x] b) Cela dépend des jours.
- [ ] c) Où est le comptoir d'échange?

2 - Ma partenaire trouve que la fréquence de nos relations sexuelles est :
- [ ] a) Satisfaisante.
- [x] b) Plus ou mois satisfaisante.
- [ ] c) Insatisfaisante.

3 - Je trouve la fréquence de nos relations sexuelles :
- [x] a) Satisfaisante.
- [ ] b) Plus ou moins satisfaisante.
- [ ] c) Insatisfaisante.

4 - Après avoir fait l'amour, je me sens :
- [x] a) Heureux et comblé.
- [ ] b) Un peu déçu de ma performance.
- [ ] c) Très déçu de ma performance et même choqué par rapport à ma partenaire.

5 - Nous faisons l'amour :
- [x] a) Toujours de la même façon.
- [ ] b) En y apportant parfois de la fantaisie.
- [ ] c) Toujours différemment.

6 - Je prends l'initiative sexuelle :
- [ ] a) Rarement ou jamais.
- [x] b) La plupart du temps.
- [ ] c) Une fois c'est elle, une fois c'est moi.

7 - Les moments passés à faire l'amour sont :
- [x] a) Des moments de bonheur.
- [ ] b) Des moments agréables.
- [ ] c) Des moments où j'aurais aimé faire autre chose.

8 - Ma sexualité m'apporte :
- [x] a) Beaucoup de plaisir.

- ❑ b) Un peu de plaisir.
- ❑ c) Des problèmes.

9 - Je pense avoir un problème sexuel :
- ❑ a) Oui.
- ❑ b) Non.
- ❑ c) Peut-être.

10 - Je pense que ma partenaire a un problème sexuel :
- ❑ a) Oui.
- ❑ b) Non.
- ❑ c) Peut-être.

11 - Dans notre couple, la sexualité :
- ❑ a) Est un sujet de dispute.
- ❑ b) Est un sujet de plaisanterie.
- ❑ c) Est un sujet agréable à aborder.

12 - Lorsque nous faisons l'amour, je trouve cela :
- ❑ a) Beaucoup trop long ou beaucoup trop court.
- ❑ b) Un peu trop court ou un peu trop long.
- ❑ c) Juste comme il faut.

13 - Selon moi, ma partenaire atteint l'orgasme :
- ❑ a) À chaque relation sexuelle.
- ❑ b) À la plupart des relations sexuelles.
- ❑ c) Jamais ou rarement.

14 - Selon moi, la pénétration est :
- ❑ a) Beaucoup trop longue ou beaucoup trop courte.
- ❑ b) Un peu trop longue ou un peu trop courte.
- ❑ c) Juste comme il faut.

15 - Les préliminaires sont :
- ❑ a) Beaucoup trop longs ou beaucoup trop courts.
- ❑ b) Un peu trop longs ou un peu trop courts.
- ❑ c) Juste comme il faut.

16 - Si je le pouvais, j'échangerais ma sexualité contre :
- ❑ a) Une auto neuve.
- ❑ b) Une sexualité plus satisfaisante.
- ❑ c) Je n'ai pas du tout le goût de l'échanger.

17 - Lorsque je nous regarde, ma partenaire et moi, je trouve que sexuellement nous sommes :
- ❑ a) Bien assortis.
- ❑ b) Plus ou moins bien assortis.
- ❑ c) Bien mal pris.

18 - Chaque fois que nous parlons de sexualité :
- [ ] a) Nous nous chicanons.
- [x] b) Nous nous amusons.
- [ ] c) Nous nous excitons.

19 - Sexuellement, j'ai l'impression que les autres couples :
- [ ] a) Sont plus heureux que nous.
- [ ] b) Sont moins heureux que nous.
- [x] c) Je n'y ai jamais pensé.

20 - Je me masturbe :
- [ ] a) Régulièrement.
- [ ] b) Rarement.
- [x] c) Je ne me suis jamais masturbé.

21 - Lorsque je me masturbe :
- [ ] a) J'ai l'impression de me faire un cadeau.
- [ ] b) Je me sens coupable d'avoir recours à cette activité.
- [x] c) Je me suis jamais masturbé.

22 - Je me masturbe parce que :
- [ ] a) J'en ai envie.
- [ ] b) Je n'ai rien de mieux à me mettre sous la dent.
- [x] c) Je ne me suis jamais masturbé.

23 - Par rapport à l'échelle Richter*, nos relations sexuelles oscillent à :
- [ ] a) 3,2
- [x] b) 6,2
- [ ] c) 7,5

24 - Je trouve que je suis un amant :
- [ ] a) Exceptionnel.
- [x] b) Ordinaire.
- [ ] c) Incompétent.

25 - Si j'avais une note à attribuer à notre sexualité, je lui donnerais :
- [ ] a) Plus de 80 p. cent.
- [x] b) Entre 60 et 79 p. cent.
- [ ] c) Moins de 60 p. cent.

---

* Échelle pour mesurer l'intensité des tremblements de terre.

CALCULEZ VOS RÉSULTATS

Aux questions 1-2-3-4-7-8-13-17-20-21-22-24-25

Si vous avez répondu A, accordez-vous 3 points.
Si vous avez répondu B, accordez-vous 2 points.
Si vous avez répondu C, accordez-vous 1 point.

Aux questions 5-6-11-12-14-15-16-18-19-23

Si vous avez répondu A, accordez-vous 1 point.
Si vous avez répondu B, accordez-vous 2 points.
Si vous avez répondu C, accordez-vous 3 points.

Aux questions 9 et 10

Si vous avez répondu A, accordez-vous 1 point.
Si vous avez répondu B, accordez-vous 3 points.
Si vous avez répondu C, accordez-vous 2 points.

INTERPRÉTATION DES RÉSULTATS

Vous avez obtenu entre 25 et 35 points :
Il serait bien surprenant que vous soyez satisfait de votre vie sexuelle. Vos réponses indiquent plutôt que celle-ci est sans véritable plaisir et qu'elle engendre plus de problèmes que d'agréments. Si vous n'y avez pas songé jusqu'à maintenant, ce ne serait sûrement pas une mauvaise idée de consulter un sexologue[1].

Vous avez obtenu entre 36 et 50 points :
On ne peut pas dire que ce soit dramatique. Toutefois, il y a sûrement place pour l'amélioration. Je sais, ce n'est pas facile à faire, mais si vous mettez la main à la pâte tous les deux, tous les espoirs sont permis.

1. Pour connaître le nom d'un sexologue clinicien professionnel, on s'adresse à l'Association des sexologues du Québec, au numéro de téléphone (514) 270-9289.

Vous avez obtenu entre 51 et 65 points :
Vous êtes probablement relativement satisfait de votre sexualité. Ce qui ne signifie toutefois pas que tout soit parfait. Il y a sûrement une ou deux petites choses que vous aimeriez changer. Alors pourquoi ne pas profiter de cette occasion pour en parler à votre partenaire et passer à l'action?

Vous avez obtenu entre 66 et 75 points :
Ce n'est peut-être pas le nirvana, mais si on se fie à vos réponses vous en approchez. Votre vie sexuelle semble vous apporter beaucoup de satisfaction. J'espère pour vous que l'être aimé partage votre perception!

IL EST SATISFAIT, JE SUIS INSATISFAITE. QU'EST-CE QU'ON FAIT?

Quels que soient vos résultats, s'ils sont semblables, cela démontre que vous avez au moins la même perception. Par exemple, même si vous êtes tous deux extrêmement insatisfaits de votre vie sexuelle et que c'est un sujet constant de disputes, il y a au moins ce point sur lequel vous êtes d'accord : vous n'êtes ni un ni l'autre contents de votre sexualité de couple. C'est peu, mais c'est déjà ça de pris.

Là où ça se corse encore plus, c'est lorsque les deux partenaires ont des résultats complètement différents. Il a 66, elle a 28. Que ce soit Monsieur qui vit sur un nuage rose ou Madame qui voit tout en noir, il y a certainement quelque chose qui ne va pas. Car s'il faut être deux pour danser le tango, il suffit qu'un des deux refuse pour que la danse n'ait pas lieu. Ainsi si Monsieur est satisfait et que Madame ne l'est pas, que cela plaise ou non à Monsieur, il (et pas seulement elle) a un problème de sexualité dans son couple. Ceci même s'il estime n'en être pas la cause (ce qui est possible).

Si c'est ce qui vous arrive, je vous suggère d'examiner ensemble chacune de vos réponses. Il se peut que vous trouviez là la cause de vos différences de perception. Par contre, si cet essai de discussion s'avère trop douloureux, ne vous déchirez pas inutilement. Allez chercher de l'aide extérieure. Un sexologue professionnel pourra vous aider à mieux vous comprendre et à trouver des solutions concrètes pour améliorer votre satisfaction sexuelle à tous les deux. Et n'oubliez pas le tango!

Vos fantasmes se rejoignent-ils?

Dans un premier temps, il faudrait être certains qu'on parle de la même chose. C'est quoi un fantasme? Oui, cela peut être l'orgie à quatorze, avec la chatte, le chien, où l'on ne sait plus trop qui fait quoi à qui. Mais c'est bien plus et bien moins à la fois.

De façon générale, un fantasme, c'est une image mentale. Lorsqu'on s'imagine à la barre du voilier de ses rêves, on fantasme; lorsqu'on prépare mentalement son prochain repas, on fantasme aussi. Côté sexualité, un fantasme, c'est simplement une image mentale ayant un contenu sexuel. Donc, allons-y avec l'orgie à quatorze, mais n'oublions pas non plus les fantasmes plus «ordinaires» comme se rappeler une relation sexuelle antérieure ou imaginer ce qu'aurait l'air le voisin en petite tenue.

Il est important de noter que le fantasme n'est pas nécessairement quelque chose que l'on tient à vivre réellement. On peut très bien imaginer une situation, être excité par celle-ci tout en sachant qu'elle est irréaliste et que son destin est de rester dans notre tête.

S'il y a quelque chose d'intime et de personnel, ce sont bien les fantasmes. Ils nous appartiennent et personne ne peut nous obliger à les dévoiler. On peut avoir le goût d'en parler, mais se sentir mal à l'aise de le faire.

Le prochain test ne vise donc pas à vous faire faire un «strip-tease» de vos pensées les plus secrètes, mais simplement de vous offrir l'occasion de laisser vagabonder votre imagination. Car même si vous êtes du genre à dire que vous n'avez pas de fantasmes, cela ne signifie pas que vous êtes incapable d'imaginer.

Donc, répondez aux prochaines questions sans trop y penser. Nous nous retrouverons dans quelques pages.

POUR FAIRE L'AMOUR, JE CHOISIS : (MADAME)

1 -
- ❑ a) Un train.
- ❑ b) Un vaisseau spatial.
- ❑ c) Un paquebot.
- ❑ d) L'arrière d'une automobile.

2 -
- ❑ a) Un château de la Renaissance.
- ❑ b) Un palais des mille et une nuits.
- ❑ c) Une pagode chinoise.
- ❑ d) Ma chambre à coucher.

3 -
- ❑ a) Une plage déserte.
- ❑ b) Une clairière.
- ❑ c) Une île.
- ❑ d) Une place publique.

4 -
- ❑ a) Un ascenseur.
- ❑ b) Un bureau.
- ❑ c) Une salle de conférence.
- ❑ d) Une salle de bains.

5 -
- ❑ a) Le tapis.
- ❑ b) Une peau d'ours.
- ❑ c) Le bois franc.
- ❑ d) Le lit.

6 -
- ❑ a) L'éclairage d'un dépanneur.
- ❑ b) Le noir du diable.
- ❑ c) Un éclairage tamisé.
- ❑ d) La lumière du soleil.

7 -
- ❑ a) D'être deux.
- ❑ b) D'être trois.
- ❑ c) D'être plus que trois.
- ❑ d) D'être seul.

8 -
- ❑ a) La nudité.
- ❑ b) Un habillement sexy.
- ❑ c) Un habillement style western.
- ❑ d) Un habillement japonais (geisha).

9 -
- ❑ a) D'être attachée.
- ❑ b) D'attacher l'autre.
- ❑ c) D'être attachée et d'attacher l'autre.
- ❑ d) Je ne veux rien savoir de ce type de liens.

10 -
- ❑ a) Un homme.
- ❑ b) Deux hommes.
- ❑ c) Un groupe d'hommes.
- ❑ d) Pas d'homme.

11 -
- ❑ a) Une femme.
- ❑ b) Deux femmes.
- ❑ c) Un groupe de femmes.
- ❑ d) Pas de femme.

12 -
- ❑ a) James Dean.
- ❑ b) David Bowie.
- ❑ c) François Mitterrand.
- ❑ d) Le prince Rainier.

13 -
- ❑ a) Une petite vite.
- ❑ b) Une fête érotique.
- ❑ c) Une après les Nouvelles et avant dodo.
- ❑ d) Une nuit d'amour.

14 -
- ❑ a) Une chambre de grand hôtel.
- ❑ b) Une chambre d'auberge de campagne.
- ❑ c) Ma chambre.
- ❑ d) N'importe où sauf une chambre.

15 -
- ❑ a) Un partenaire actif.
- ❑ b) Un partenaire passif.
- ❑ c) Un partenaire actif mais pouvant être passif.
- ❑ d) Un partenaire passif mais pouvant être actif.

16 -
- ❑ a) Un partenaire plus jeune.
- ❑ b) Un partenaire de mon âge.
- ❑ c) Un partenaire plus vieux.
- ❑ d) L'âge importe peu.

17 -
- ❑ a) Un gros pénis.
- ❑ b) Un petit pénis.
- ❑ c) Un pénis moyen.
- ❑ d) Je m'en fous.

18 -
- ❑ a) Le dernier amant romantique.
- ❑ b) Rambo.
- ❑ c) James Bond.
- ❑ d) Roger Rabbit.

19 -
- ❑ a) Un gigolo.
- ❑ b) Un médecin.
- ❑ c) Un prêtre.
- ❑ d) Un camionneur.

20 -
- ❑ a) Les cheveux blonds.
- ❑ b) Les cheveux bruns.
- ❑ c) Les cheveux roux.
- ❑ c) Les cheveux blancs.

21 -
- ❑ a) Un maigre.
- ❑ b) Un gros.
- ❑ c) Un avec de petites poignées d'amour.
- ❑ d) Un musclé.

22 -
- ❑ a) Un Sud-Américain.
- ❑ b) Un Européen.
- ❑ c) Un Asiatique.
- ❑ d) Un Africain.

23 -
- ❑ a) Un film d'amour.
- ❑ b) Un film d'action.
- ❑ c) Un film d'humour.
- ❑ d) Un film porno.

24 -
- ❑ a) La douceur.
- ❑ b) Le rire.
- ❑ c) L'énergie.
- ❑ d) La violence.

25 -
- ❑ a) La place Jacques-Cartier.
- ❑ b) Les sous-bois du mont Royal.
- ❑ c) Les plaines d'Abraham.
- ❑ d) La Chambre des communes.

26 -
- ❑ a) Un groupe.
- ❑ b) Un trio.
- ❑ c) Un duo.
- ❑ d) Un solo.

27 - J'ai des fantasmes :
- ❑ a) À tous les jours.
- ❑ b) Deux ou trois fois par semaine.
- ❑ c) Deux ou trois fois par mois.
- ❑ d) Une fois par mois ou moins.

28 - J'ai des fantasmes :
- ❑ a) Lorsque je fais l'amour.
- ❑ b) En dehors des relations sexuelles.
- ❑ c) Lorsque je fais l'amour et en dehors des relations sexuelles.
- ❑ d) Je n'ai pas de fantasmes.

29 - Lorsque je fais l'amour, il m'arrive :
- ❑ a) De penser à un autre homme.
- ❑ b) De penser que je suis dans un autre lieu.
- ❑ c) De penser à une relation sexuelle antérieure
- ❑ d) Je ne pense qu'à ce que je fais.

30 - Je parle de mes fantasmes :
- ❑ a) Facilement.
- ❑ b) Plus ou moins facilement.
- ❑ c) Plutôt difficilement.
- ❑ d) Je n'en parle jamais.

31 - Mon fantasme qui revient le plus souvent est celui-ci :

___

___

___

❦❦❦

POUR FAIRE L'AMOUR, JE CHOISIS : (MONSIEUR)

1 -
- ❑ a) Un train.
- ❑ b) Un vaisseau spatial.
- ❑ c) Un paquebot.
- ❑ d) L'arrière d'une automobile.

2 -
- ❑ a) Un château de la Renaissance.
- ❑ b) Un palais des mille et une nuits.
- ❑ c) Une pagode chinoise.
- ❑ d) Ma chambre à coucher.

3 -
- ❑ a) Une plage déserte.
- ❑ b) Une clairière.
- ❑ c) Une île.
- ❑ d) Une place publique.

4 -
- ❑ a) Un ascenseur.
- ❑ b) Un bureau.
- ❑ c) Une salle de conférence.
- ❑ d) Une salle de bains.

5 -

- [ ] a) Le tapis.
- [x] b) Une peau d'ours.
- [ ] c) Le bois franc.
- [ ] d) Le lit.

6 -

- [ ] a) L'éclairage d'un dépanneur.
- [ ] b) Le noir du diable.
- [x] c) Un éclairage tamisé.
- [ ] d) La lumière du soleil.

7 -

- [ ] a) D'être deux.
- [ ] b) D'être trois.
- [ ] c) D'être plus que trois.
- [x] d) D'être seul.

8 -

- [ ] a) La nudité.
- [ ] b) Un habillement sexy.
- [x] c) Un habillement style western.
- [ ] d) Un habillement japonais (samourai).

9 -

- [ ] a) D'être attaché.
- [x] b) D'attacher l'autre.
- [ ] c) D'être attaché et d'attacher l'autre.
- [ ] d) Je ne veux rien savoir de ce type de liens.

10 -

- [ ] a) Un homme.
- [ ] b) Deux hommes.
- [ ] c) Un groupe d'hommes.
- [x] d) Pas d'homme.

11 -

- [ ] a) Une femme.
- [ ] b) Deux femmes.
- [ ] c) Un groupe de femmes.
- [x] d) Pas de femme.

12 -

- [x] a) Marilyn Monroe.
- [ ] b) Cindy Lauper.
- [ ] c) Margaret Thatcher.
- [ ] d) Caroline de Monaco.

13 -

- ☐ a) Une petite vite.
- ☑ b) Une fête érotique.
- ☐ c) Une après les Nouvelles et avant dodo.
- ☐ d) Une nuit d'amour.

14 -

- ☐ a) Une chambre de grand hôtel.
- ☐ b) Une chambre d'auberge de campagne.
- ☐ c) Ma chambre.
- ☑ d) N'importe où sauf une chambre.

15 -

- ☑ a) Une partenaire active.
- ☐ b) Une partenaire passive.
- ☐ c) Une partenaire active mais pouvant être passive.
- ☐ d) Une partenaire passive mais pouvant être active.

16 -

- ☑ a) Une partenaire plus jeune.
- ☐ b) Une partenaire de mon âge.
- ☐ c) Une partenaire plus vieille.
- ☐ d) L'âge importe peu.

17 -

- ☐ a) De gros seins.
- ☐ b) De petits seins.
- ☑ c) Des seins moyens.
- ☐ d) Je m'en fous.

18 -

- ☐ a) Angélique, Marquise des anges.
- ☐ b) Elsa, la louve des SS.
- ☑ c) La lectrice (Miou-Miou).
- ☐ d) Olive Oil (la douce moitié de Popeye).

19 -

- ☐ a) Une prostituée.
- ☐ b) Une avocate.
- ☐ c) Une religieuse.
- ☑ d) Une secrétaire.

20 -

- ☑ a) Les cheveux blonds.
- ☐ b) Les cheveux bruns.
- ☐ c) Les cheveux roux.
- ☐ d) Les cheveux blancs.

21 -
- ❑ a) Une maigre.
- ❑ b) Une grosse.
- ☑ c) Une avec de petites poignées d'amour.
- ❑ d) Une musclée.

22 -
- ☑ a) Une Sud-Américaine.
- ❑ b) Une Européenne.
- ❑ c) Une Asiatique.
- ❑ d) Une Africaine.

23 -
- ❑ a) Un film d'amour.
- ❑ b) Un film d'action.
- ❑ c) Un film d'humour.
- ☑ d) Un film porno.

24 -
- ☑ a) La douceur.
- ❑ b) Le rire.
- ❑ c) L'énergie.
- ❑ d) La violence.

25 -
- ❑ a) La place Jacques-Cartier.
- ❑ b) Les sous-bois du mont Royal.
- ☑ c) Les plaines d'Abraham.
- ❑ d) La Chambre des communes.

26 -
- ❑ a) Un groupe.
- ❑ b) Un trio.
- ☑ c) Un duo.
- ❑ d) Un solo.

27 - J'ai des fantasmes :
- ❑ a) À tous les jours.
- ❑ b) Deux ou trois fois par semaine.
- ❑ c) Deux ou trois fois par mois.
- ☑ d) Une fois par mois ou moins.

28 - J'ai des fantasmes :
- ❑ a) Lorsque je fais l'amour.
- ☑ b) En dehors des relations sexuelles.
- ❑ c) Lorsque je fais l'amour et en dehors des relations sexuelles.
- ❑ d) Je n'ai pas de fantasmes.

29 - Lorsque je fais l'amour, il m'arrive :

- ❑ a) De penser à une autre femme.
- ❑ b) De penser que je suis dans un autre lieu.
- ❑ c) De penser à une relation sexuelle antérieure.
- ☑ d) Je ne pense qu'à ce que je fais.

30 - Je parle de mes fantasmes :

- ☑ a) Facilement.
- ❑ b) Plus ou moins facilement.
- ❑ c) Plutôt difficilement.
- ❑ d) Je n'en parle jamais.

31 - Mon fantasme qui revient le plus souvent est celui-ci :

____

____

____

ET APRÈS, QU'EST-CE QU'ON FAIT?

Contrairement à la plupart des tests de ce livre, celui-ci ne comporte aucun «calcul des résultats». Mon but en vous faisant répondre à ces questions est de vous donner une façon amusante et sans menace d'aborder cette question très délicate.

Au lieu de partir du sempiternel «je vais te raconter un de mes fantasmes, raconte-moi un des tiens», je vous propose (si cela vous tente bien sûr) de réviser ensemble vos questionnaires respectifs. Vous y trouverez sans doute des réponses semblables, d'autres plutôt complémentaires et d'autres enfin complètement à l'opposé. Mais ce qui importe surtout, c'est que vous aurez là l'occasion de partager avec l'autre une partie de votre monde imaginaire (et vice versa).

Peut-être n'avez-vous rien répondu à la question 31 ou peut-être n'avez-vous pas le goût d'en dévoiler le contenu. C'est votre droit. Le partage des fantasmes doit se faire dans le respect mutuel et ne doit s'accompagner d'aucune forme de coercition.

NORMALITÉ ET ANORMALITÉ DES FANTASMES[1]

Il est normal d'avoir des fantasmes sexuels. Et en tant que tel, il n'y a pas de limite à ce qu'on peut imaginer. Tous les fantasmes, quels qu'ils soient, sont normaux. Ainsi on peut avoir des fantasmes bestiaux, sado-masochistes, exhibitionnistes, etc., sans que cela signifie que quelque chose ne va pas.

Ce qui devient «anormal», c'est lorsque la grande majorité de tous nos fantasmes sont de types déviants. Par exemple, beaucoup d'hommes ont des fantasmes de domination qu'on pourrait associer au viol. Ils ne sont pas tous des violeurs, loin de là! Cependant, si sur dix fantasmes on en a huit ou neuf où l'on se voit en train de violer une femme, on peut dire qu'il y a un problème et que l'homme a un «imaginaire sexuel déviant».

Dans le même ordre d'idées, les déviants sexuels ont la plupart du temps peu d'imagination et le contenu de leurs fantasmes est limité à leur déviance. Ainsi, le pédophile aura surtout des fantasmes avec des enfants et le masochiste imaginera des situations où la majorité du temps la soumission prévaut.

---

1. Pour en savoir plus sur les fantasmes, vous pouvez consulter mon premier livre : *Comment devenir et rester une femme épanouie sexuellement*, Edimag, 1988. Tout un chapitre est consacré à cette question.

Enfin, pour répondre à une question qui m'est souvent demandée : «Non, on ne trompe pas son ou sa partenaire parce qu'on pense à quelqu'un d'autre lorsqu'on fait l'amour.» On entre ici dans le concept du «péché d'intention». Être tenté de voler est une chose, le faire en est une autre. Toutefois, il est évident que si à chaque relation sexuelle on se voit dans les bras du voisin ou de la voisine, au bout de cinq ans de ce manège on finira bien par se retrouver dans ces bras-là. Tout est une question d'équilibre. Car même si on pense à quelqu'un d'autre, dans le fond on le sait bien avec qui on fait l'amour.

Partie 4

Les problèmes sexuels les plus fréquents

Êtes-vous un éjaculateur précoce?

On peut définir l'éjaculation précoce comme l'incapacité pour un homme de décider du moment approximatif de son éjaculation. La grande majorité des jeunes hommes sont, à leurs premières tentatives, des éjaculateurs précoces. Ceci est tout à fait normal. En effet, dans la nature, le mâle qui a le plus de chances de se reproduire est celui qui est le plus fort, mais aussi le plus rapide. Le côté «animal» de l'homme le pousse donc à abréger sa démarche. Heureusement pour nous, l'homme n'est pas un babouin. Avec le temps et l'expérience, il apprendra à contrôler ses ardeurs. Toutefois, pour 30 à 40 p. cent des hommes, cette tâche s'avère pratiquement impossible. Quoi qu'ils tentent, ils n'y arrivent pas. Ils sont toujours trop vite.

Mais être un éjaculateur précoce n'est pas qu'une question de vitesse. Ces hommes partagent certains traits caractéristiques. Et il faut ajouter que ce n'est pas parce qu'on éjacule vite qu'on est nécessairement un éjaculateur précoce. Certaines femmes, pour diverses raisons, poussent leur partenaire à s'exécuter rapidement (voir questionnaire page 225).

Êtes-vous ou non un éjaculateur précoce? Peut-être connaissez-vous déjà la réponse. Mais, juste pour vous en assurer, faites le test quand même. Quant à vous, madame, je vous convie à répondre au petit questionnaire qui suit immédiatement celui-ci et qui s'intitule : «Avez-vous quelque chose à voir dans son éjaculation précoce?»

ÊTES-VOUS UN ÉJACULATEUR PRÉCOCE?

1 - Lorsque je pénètre ma partenaire :

☑ a) Je sens l'humidité et la chaleur de son vagin sur mon pénis. C'est à la fois agréable et excitant.
☐ b) C'est très excitant mais j'arrive à me calmer.
☐ c) J'ai l'impression de ne plus avoir de contrôle. C'est excitant et en même temps paniquant.

2 - Lorsque je fais l'amour :

☐ a) Je peux, si je le veux, décider du moment approximatif de mon éjaculation.
☑ b) J'essaie de me retenir le plus longtemps possible.
☐ c) Trois petits coups et c'est parti!

3 - Si ma partenaire me caresse :

☑ a) Je trouve cela agréable et excitant.
☐ b) Il ne faut pas qu'elle me caresse trop parce que cela m'excite trop.
☐ c) Je ne veux pas qu'elle me caresse, c'est trop excitant.

4 - Lorsque je danse :

☐ a) Je suis souple.
☑ b) Je suis un peu rigide.
☐ c) Je préfère ne pas danser, je suis aussi souple qu'une armoire à glace.

5 - J'ai des fantasmes de pénétration prolongée et agréable :

☐ a) Souvent.
☑ b) Rarement.
☐ c) J'aimerais en avoir, mais je n'en ai pas.

6 - En général, la pénétration dure :

☐ a) Le temps que je désire. Quelquefois, cela peut durer 4 minutes, d'autres fois 15 minutes.
☐ b) Environ cinq minutes.
☑ c) Moins d'une minute.

7 - Lorsque j'ai une relation sexuelle :

☑ a) Je pense d'abord à mon plaisir.
☐ b) J'espère pouvoir me contrôler.
☐ c) Je sais que je ne me contrôlerai pas.

8 - Après la relation sexuelle, je me sens :

❑ a) Heureux et détendu.
❑ b) Anxieux de savoir si ma partenaire a joui.
❑ c) Déçu et insatisfait de ma performance.

9 - Ma partenaire :

❑ a) Trouve que je suis un amant sensationnel.
❑ b) Trouve que tout va parfois trop vite.
❑ c) Est frustrée et me croit égoïste.

10 - Si l'on m'offrait un produit miracle me garantissant de faire jouir ma partenaire à tout coup :

❑ a) Je ne l'achèterais pas car je n'en ai pas vraiment besoin.
❑ b) Je ne suis pas certain que cela m'intéresserait.
❑ c) Je l'achèterais immédiatement.

11 - Je pense être un homme :

❑ a) Calme extérieurement et intérieurement.
❑ b) Nerveux par en dedans.
❑ c) Nerveux extérieurement et intérieurement.

12 - Durant la relation sexuelle :

❑ a) Je me concentre sur ce que je ressens.
❑ b) Je me concentre surtout sur les réactions de ma partenaire.
❑ c) J'ai l'impression d'être un spectateur de ma relation sexuelle, je me concentre pour essayer de faire le mieux possible.

❦❦❦

AVEZ-VOUS QUELQUE CHOSE À VOIR DANS SON ÉJACULATION PRÉCOCE?

1 - Je trouve la pénétration :

❑ a) Agréable.
❑ b) Plus ou moins agréable.
❑ c) Douloureuse.

2 - Pour moi, faire l'amour est :

❑ a) Ma première priorité.
❑ b) Une priorité parmi d'autres.
❑ c) Ma 22e priorité.

3 - Pour moi, le temps consacré à la sexualité :
- ❑ a) Est sacré.
- ❑ b) Passe après les autres activités.
- ❑ c) Est du temps perdu.

4 - Lorsque mon conjoint me pénètre, j'espère :
- ❑ a) Que ça va durer longtemps.
- ❑ b) Que ça va durer un temps raisonnable.
- ❑ c) Que ça va se terminer le plus vite possible.

5 - Lorsque mon conjoint me pénètre, je préfère des mouvements de va et vient rapides :
- ❑ a) Non, pas vraiment.
- ❑ b) Parfois.
- ❑ c) Toujours.

6 - Si mon conjoint change le rythme de la pénétration :
- ❑ a) Je peux trouver cela très excitant.
- ❑ b) Ça me déconcentre.
- ❑ c) Ça me refroidit complètement.

7 - Si mon conjoint arrête les mouvements de va-et-vient ou se retire durant quelques instants :
- ❑ a) Je profite de cet arrêt pour reprendre mon souffle.
- ❑ b) Je me demande si je vais avoir le goût de continuer.
- ❑ c) Je ne ressens plus aucune excitation.

8 - Selon moi, mon conjoint :
- ❑ a) N'a pas de problème d'éjaculation précoce.
- ❑ b) Va quelquefois un peu vite en affaire.
- ❑ c) Est un éjaculateur précoce.

9 - En moyenne, la pénétration dure :
- ❑ a) Plus de dix minutes.
- ❑ b) De deux à cinq minutes.
- ❑ c) Moins de deux minutes.

10 - Je pense que si mon conjoint est un éjaculateur précoce :
- ❑ a) Mon conjoint n'est pas éjaculateur précoce.
- ❑ b) C'est qu'il n'a pas appris comment contrôler son éjaculation.
- ❑ c) C'est qu'il est égoïste et ne pense qu'à lui.

11 - Selon moi, la jouissance de la femme :
- ❑ a) Dépend surtout de la femme.
- ❑ b) Dépend autant de l'homme que de la femme.
- ❑ c) Dépend surtout de l'homme.

12 - Une amie me raconte atteindre l'orgasme quelques secondes après le début de la pénétration. Elle aime bien ça, mais ce qui l'embête un peu c'est que son partenaire arrive rarement à jouir aussi vite qu'elle. Comme après l'orgasme, elle préfère tout arrêter, elle se demande ce qu'elle pourrait bien faire pour améliorer la situation. Je lui conseille :

❑ a) D'apprendre à ralentir ses propres ardeurs.

❑ b) D'exciter suffisamment son partenaire pour que, rendu à la pénétration, il ne soit plus capable de se contenir.

❑ c) Je ne lui conseille rien mais je lui demande son truc.

CALCULEZ VOS RÉSULTATS

Pour chaque A, vous vous attribuez 0 point.
Pour chaque B, vous vous attribuez 1 point.
Pour chaque C, vous vous attribuez 2 points.

Regardons d'abord du côté de Monsieur.

Si vous avez obtenu :

- de 0 à 6 points :
L'éjaculation précoce n'est pas un problème qui vous regarde. Passez au questionnaire suivant.

- de 7 à 13 points :
Vous n'êtes pas un éjaculateur précoce. Par contre, il peut vous arriver de vous sentir un peu anxieux face à votre performance. Ne vous en faites pas trop. Aucun homme sur terre ne peut se vanter de n'avoir jamais été un peu trop vite en affaire.

- de 14 à 19 points :
Peut-être êtes-vous un éjaculateur précoce. En tout cas, vos réponses semblent indiquer que vous en avez le profil.

- de 20 à 24 points :
Vous avez les attitudes et le comportement d'un éjaculateur précoce. Sans doute en êtes-vous un. Si vous ne l'avez jamais fait, il serait grandement temps de penser à consulter un sexologue.

Maintenant, regardons du côté de Madame.

Vous avez obtenu :

- de 0 à 6 points :
Vous n'encouragez sûrement pas l'éjaculation précoce de votre conjoint. D'ailleurs, il serait surprenant qu'il le soit. Passez au questionnaire suivant.

- de 7 à 13 points :
Vous ne favorisez pas l'éjaculation chez votre partenaire. Cependant, vous pouvez être préoccupée par sa performance. Il serait peut être bon que vous en parliez ensemble.

- de 14 à 19 points :
Peut-être, sans le savoir, encouragez-vous l'éjaculation précoce chez votre partenaire. Il n'est peut être pas un éjaculateur précoce, mais votre attitude ne favorise sûrement pas une grande complicité. Vous lui donnez beaucoup de responsabilités sur le plan sexuel. Par hasard, seriez-vous de celles qui pensent qu'il n'y a pas de femmes frigides, qu'il n'y a que des homme maladroits?

- de 20 à 24 points :
Si votre homme n'est pas un éjaculateur précoce, ce n'est pas de votre faute. Évidemment, si pour vous la sexualité est la 18e priorité, que le temps passé à faire l'amour est du temps perdu et qu'en plus la pénétration vous fait mal, il n'est pas surprenant que vous l'incitiez à aller le plus vite possible. Il aurait peut-être été éjaculateur précoce de toutes façons, mais votre attitude ne l'aide sûrement pas à apprendre à contrôler le moment de son éjaculation.

SE CONCENTRER SUR LA SOLUTION

Si vous avez constaté que vous avez un problème d'éjaculation et (ou) que l'attitude de votre partenaire ne vous aide pas, vous pouvez sans doute passer les trois prochaines années de votre vie à vous faire des reproches. «Tu vois bien, c'est toi qui me rends comme ça.» Ou : «J'ai rien à voir là-dedans, c'est ton problème, règle-le.» Ou encore : «C'est toi qui es frigide, c'est pour ça que je vais vite.» Etc. Vous aurez de belles engueulades, mais cela ne réglera strictement rien à votre problème.

Vous aurez sans doute des échanges plus fructueux si vous vous concentrez sur les solutions. À partir du constat que vous avez fait, y a-t-il des choses que vous pouvez améliorer par vous-même? Vous ne savez trop par où commencer? Voici quelques suggestions qui pouront peut-être vous aider.

SUGGESTIONS POUR MONSIEUR

1. Apprenez à vous concentrer sur ce que vous ressentez plutôt que sur la performance. Ce n'est pas en pensant à autre chose que vous réussirez à contrôler le moment de votre éjaculation. C'est comme si vous étiez au volant sur une route glissante et que vous décidiez de fermer les yeux dans l'espoir de ne pas avoir d'accident. C'est en sentant bien la route que vous garderez le meilleur contrôle. Il en est de même pour la pénétration.

2. Les hommes éjaculateurs précoces ne sont pas, en général, très souples. Faites des exercices pour assouplir la bassin. Cela vous aidera à dépenser moins d'énergie lorsque vous serez en action.

3. Plus on est excité, plus on respire vite. Apprenez donc à être conscient de votre respiration. Prendre une ou deux respirations profondes (en gonflant le ventre) peut vous aider à faire baisser votre tension sexuelle.

4. Apprenez à jouer avec les rythmes. Rares sont les hommes qui peuvent se contrôler bien longtemps, lorsqu'ils ont une pénétration très rapide.

5. Si nécessaire, retirez-vous durant quelques moments. L'excitation sexuelle ayant diminué, vous pourrez reprendre la pénétration.

6. Enlevez-vous de la tête que vous êtes le seul responsable de la réussite de la relation sexuelle. Cela se vit à deux. Les deux sont également responsables.

7. Apprenez à vous laisser caresser par votre partenaire, juste pour le plaisir.

8. Donnez-vous le droit à l'essai et à l'erreur. C'est en se trompant qu'on apprend.

SUGGESTIONS POUR MADAME

1. Cessez d'avoir peur de caresser Monsieur. Même s'il dit que cela l'excite beaucoup, il doit apprendre à négocier avec cette excitation plutôt qu'à la fuir. De plus, cela vous donnera l'occasion de vous laisser aller à vos impulsions.

2. L'homme éjaculateur précoce est rarement un égoïste. C'est plutôt un homme dépassé par les événements. C'est désagréable pour vous, je le comprends. Mais s'il décide de faire quelque chose pour remédier à la situation, évitez les reproches et commentaires du style «Pourquoi tu ne t'es pas décidé avant?» Cela ne contribuera certainement pas à faire avancer votre cause.

3. L'apprentissage du contrôle de l'éjaculation est comme n'importe quel autre apprentissage. Il se fait graduellement. Les erreurs de parcours seront inévitables. Mettez l'accent sur les

progrès de votre homme et prenez avec une pointe d'humour ses petits ratés.

4. Lorsque vous faites l'amour, pensez d'abord à vous. Cessez d'être préoccupée uniquement par son éjaculation précoce.

5. Vous avez l'impression de ne rien retirer des relations sexuelles? C'est peut-être que toute votre attention est axée sur la pénétration. Apprenez à apprécier les autres jeux de l'amour. Cela ne signifie pas que vous devez faire votre deuil d'un meilleur contrôle de la part de votre homme. Mais en attendant que cela arrive, rien ne vous empêche de profiter pleinement de ce que vous avez déjà, même si ce n'est pas parfait...

ET SI ON N'Y ARRIVE PAS?

Il faut d'abord chercher à s'aider soi-même. Mais si on voit que cela ne fonctionne pas, il n'y a rien d'humiliant à aller chercher de l'aide auprès d'un sexologue. C'est un peu comme les impôts. J'essaie de remplir les formulaires moi-même, mais si je ne m'y retrouve plus, je consulte un comptable.

Le traitement sexologique de l'éjaculation précoce prend, en général, de 3 à 6 mois et est couronné de succès dans 80 p. cent des cas.

Avez-vous une difficulté d'érection?

Aucun homme n'est à l'abri d'une petite défaillance. Même l'homme le plus sûr de ses capacités peut se retrouver démuni, soit qu'il ait pris un ou deux verres de trop, soit qu'il se sente impressionné par sa partenaire, soit qu'il soit préoccupé par autre chose. Les raisons ne manquent pas pour expliquer ces ratés. Mais ce n'est pas parce qu'on perd son érection un soir qu'on rentre automatiquement dans le camp des impuissants le lendemain.

Malheureusement, beaucoup de véritables problèmes d'érection naissent de cette manière. À la relation suivante Monsieur voulant prouver à sa bien-aimée, ainsi qu'à lui-même, qu'il n'a rien perdu de sa puissance sexuelle se concentre sur son érection. Pas question que cette fois-ci il la perde! Il se met tellement de pression sur les épaules qu'il en oublie son plaisir. Presque inévitablement, il fait chou blanc.

Statistiquement, 10 p. cent des hommes auront, un jour ou l'autre, à faire face à ce type de difficultés. Dans 25 à 40 p. cent des cas, son origine est organique (problème vasculaire ou endocrinien, diabète, alcoolisme, etc.). Pour les autres (de 60 à 75 p. cent), on doit rechercher les causes au niveau psychologique.

En général, l'homme impuissant espère avoir une difficulté d'ordre organique. Il a l'impression que si c'est physique, on ne pourra lui imputer la responsabilité de son état. Alors que si c'est psychologiqe, c'est que quelque chose ne tourne pas rond dans sa tête. En d'autres termes, si c'est physique, ce n'est pas de sa faute; si c'est psychologique, c'est de sa faute. Cet homme confond problème d'origine psychologique et désordre psychologique. Le stress associé à la peur de l'échec est une cause psychologique possible d'impuissance. Et on n'est pas «malade dans la tête» parce qu'on a peur de ne pas être capable. De plus, on s'imagine qu'il est plus facile de résoudre un problème d'origine organique qu'un problème de nature psychologique. Dans certains cas, cela peut être vrai, mais, dans d'autres, il s'agit d'une douce illusion.

Si l'impuissance est un état difficile à vivre pour l'homme, il touche presque autant sa partenaire. En effet, dans la majorité des cas, la femme se remet en cause. S'il n'est plus capable d'avoir une relation sexuelle complète, n'est-ce pas à cause d'elle? Elle n'est plus aussi «sexy», aussi excitante, elle a peut-être trop engraissé. Ou, pire encore, il n'est plus intéressé à elle parce qu'il a une maîtresse. Son homme a beau l'assurer qu'il n'en est rien, qu'il la désire autant qu'avant, l'angoisse demeure.

Bien que certaines femmes se plaignent de l'ardeur de leur conjoint, celle-ci est plutôt sécurisante. «Tant qu'il a une érection, c'est que je lui fais de l'effet. S'il n'a plus d'érection, c'est peut-être qu'il ne m'aime plus.» Il peut arriver qu'un homme ait des difficultés d'érection seulement avec sa légitime mais, en général, ce n'est pas ce qui se produit. Les craintes de la femme sont compréhensibles, mais la plupart du temps elles sont injustifiées.

On n'a pas vraiment besoin de test pour savoir si on a ou non une difficulté d'érection. Cependant, toutes les difficultés ne sont pas égales entre elles : leur importance diffère ainsi que leur origine. Les prochaines questions vous permettront sans doute de mieux comprendre ce qui vous arrive.

Quant à vous, Mesdames, je vous invite à vous rendre à la page 239.

AVEZ-VOUS UNE DIFFICULTÉ D'ÉRECTION?

1 - Lorsque j'ai une relation sexuelle :

❑ a) Je n'ai jamais de problème d'érection.

❑ b) Il m'arrive parfois de perdre mon érection et d'avoir de la difficulté à la retrouver.

☑ c) Il m'arrive souvent et même toujours d'avoir des difficultés d'érection.

Si vous avez répondu a), passez au test suivant. Celui-ci ne vous regarde pas.

2 - Je suis agé :

❑ a) De moins de 35 ans.

❑ b) De moins de 50 ans.

☑ c) De plus de 50 ans.

3 - En me réveillant, je remarque que je suis en érection :

❑ a) Souvent.

❑ b) Quelquefois.

☑ c) Rarement ou jamais.

4 - Je fume :

❑ a) Plus de 15 cigarettes par jour.

❑ b) 15 cigarettes ou moins par jour.

☑ c) Je ne fume pas.

5 - Je prends des médicaments :

☑ a) Régulièrement.

❑ b) Rarement.

❑ c) Jamais.

6 - Je prends de l'alcool :

❑ a) Tous les jours.

☑ b) Quelquefois par semaine.

❑ c) Jamais.

7 - Je trouve ma partenaire :

❑ a) Aussi attirante qu'au premier jour.

❑ b) Un peu moins attirante.

☑ c) Beaucoup moins attirante.

8 - Mon pénis en érection :

❑ a) Est gonflé et rigide.

☑ b) Est gonflé, mais n'est pas complètement rigide.

❑ c) J'ai rarement ou jamais une érection complète.

9 - Si je me masturbe :

❑ a) Je n'ai pas de problème d'érection.
☑ b) J'ai des problèmes mais, en général, j'arrive à les surmonter.
❑ c) J'ai des problèmes d'érection.

10 - Dans les jeux amoureux, si nous sommes habillés :

❑ a) Je sens que j'ai une bonne érection.
☑ b) J'ai parfois une érection mais elle ne me semble pas complète.
❑ c) Je n'ai pas d'érection.

11 - Durant les jeux amoureux, si nous sommes dévêtus :

❑ a) J'ai une bonne érection.
☑ b) J'ai parfois une érection mais elle n'est pas complète.
❑ c) Je n'ai pas d'érection.

12 - Au moment de la pénétration :

❑ a) Je perds parfois mon érection.
☑ b) Je perds toujours mon érection.
❑ c) Je n'avais pas d'érection, je n'en ai pas plus.

13 - Il m'est déjà arrivé d'éjaculer sans avoir d'érection :

❑ a) Cela m'arrive souvent.
☑ b) Cela m'est déjà arrivé une ou quelquefois.
❑ c) Cela ne m'est jamais arrivé.

14 - Je souffre de diabète :

❑ a) Oui.
☑ b) Non.
❑ c) Je ne sais pas.

15 - Je prends des médicaments contre l'hypertension :

❑ a) Oui.
☑ b) Non.
❑ c) Je prends des médicaments mais je ne sais pas si c'est pour cette raison.

16 - Mes difficultés d'érection ont coincidé avec un moment de ma vie :

❑ a) Où tout allait relativement bien.
☑ b) Où j'avais des problèmes, mais qui n'en a pas?
❑ c) Où j'ai vécu un ou des événements très difficiles (perte d'emploi, séparation, dépression, burn-out, etc.).

VOUS ET L'ÉRECTION DE MONSIEUR

1 - Lorsque nous avons une relation sexuelle :

❑ a) Mon conjoint n'a jamais de problème d'érection.

❑ b) Mon conjoint perd son érection et a parfois de la difficulté à la retrouver.

❑ c) Mon conjoint a souvent et même toujours des difficultés d'érection.

Si vous avez répondu a), passez au test suivant. Celui-ci ne vous regarde pas.

2 - Lorsque mon conjoint perd son érection :

❑ a) Je ne m'en occupe pas particulièrement.

❑ b) Je fais tout pour qu'il la retrouve.

❑ c) J'arrête tout, je suis trop déçue.

3 - Depuis que mon partenaire et moi sommes ensemble :

❑ a) J'ai gardé à peu près le même poids.

❑ b) J'ai pris plus de 10 kilos.

❑ c) J'ai pris plus de 40 kilos.

4 - Lorsque nous faisons l'amour :

❑ a) Je suis surtout préoccupée d'avoir le plus de plaisir possible.

❑ b) Je me demande parfois s'il pourra avoir et (ou) maintenir son érection.

❑ c) Je suis surtout préoccupée par son érection.

5 - À part la pénétration, je trouve que mon partenaire :

❑ a) Est un amant exceptionnel.

❑ b) Est un amant plutôt ordinaire.

❑ c) Comment voulez-vous qu'un homme soit un bon amant sans pénétration?

6 - Je reproche à mon partenaire ses difficultés d'érection :

❑ a) Jamais.

❑ b) Parfois.

❑ c) Souvent.

ANALYSE DES RÉPONSES (MONSIEUR)

Questions 1 et 2 : Fréquence et âge
Comme je vous l'ai dit, il y a problème d'érection et problème d'érection. Si vous avez 55 ans (question 2) et qu'une fois sur dix vous perdez votre érection sans être capable de la retrouver, il n'y a pas lieu de vous inquiéter. S'il n'y a pas d'âge de pré-retraite sexuelle, il est tout à fait normal qu'un homme, passé la cinquantaine, ait parfois de ces petites défaillances. Cela peut même arriver à un homme de 30 ans. Par contre, si cela se produit une fois sur deux (question 1), il y a un véritable problème et il faut consulter.

Question 3 : Érections matinales
Tous les hommes, du bébé naissant au vieillard, ont des érections durant la nuit. Celles-ci se produisent aux 90 minutes et durent de 30 à 40 minutes. La dernière de ces érections qui peut durer une heure et demie se produit à peu près au moment du réveil. S'il vous arrive d'avoir de ces érections, il est fort possible que votre problème soit d'origine psychologique. Car, pourquoi la mécanique fonctionnerait-elle la nuit et non le jour? Sinon, on peut soupçonner une difficulté reliée à une cause organique.

Questions 4 et 6 : Habitudes de vie
L'alcoolisme (question 4) est la première cause d'impuissance chez l'homme de 40 ans et plus. Donc, avant de tenter quoi que ce soit pour traiter la difficulté d'érection, il faut d'abord s'occuper du problème d'alcool. Dans certains cas, après quelques mois d'abstinence, les capacités sexuelles reviendront d'elles-mêmes. Dans d'autres, cependant, un traitement sexologique sera nécessaire.

L'habitude de la cigarette (question 6) peut aussi avoir un effet sur les capacités sexuelles de l'homme de plus de 50 ans. On sait que la cigarette est néfaste pour la circulation sanguine. L'érection étant causée par un afflux de sang, si les artères du pénis sont partiellement bloquées, le sang entrera moins abondamment dans le pénis et l'homme aura une érection moins rigide. Cela ne veut pas dire que, si vous fumez vous allez devenir impuissant, mais cela ne joue certainement pas en votre faveur.

Questions 5 et15 : Médicaments
Certains types de médicaments (question 5) peuvent avoir un effet sur vos capacités sexuelles. Les anti-hypertenseurs (question 15) entrent souvent dans cette catégorie. Pour savoir si vos

médicaments sont en cause, consultez votre médecin ou encore le spécialiste des médicaments, le pharmacien.

Questions 7 et 9 : Problème personnel ou relationnel
Si vous n'avez aucun problème lorsque vous vous masturbez (question 9), mais que vous n'arrivez à rien lors des relations sexuelles, votre difficulté n'est certainement pas d'ordre organique. Évidemment, si vous ne désirez plus votre partenaire (question 7), cela peut expliquer bien des choses. Mais même si tel n'est pas le cas, votre problème est sans doute d'ordre relationnel. Je ne veux pas dire que c'est la faute de l'autre. Mais il doit y avoir un ou des éléments spécifiques à la relation sexuelle qui vous stressent et vous font perdre vos moyens. Sinon, comment expliquer que seul cela fonctionne bien, mais qu'à deux vous faisiez patate? Dans ce cas, un traitement sexologique de couple serait indiqué.

Question 8 : Rigidité
Si votre pénis ne devient pas rigide lors de l'érection, il est possible que vous ayez un problème vasculaire. C'est-à-dire qu'insuffisamment de sang circule dans le pénis. Allez consulter un médecin en qui vous avez confiance.

Questions 10, 11 et 12 : Peur de la pénétration
Si durant les jeux amoureux (questions 10 et11) vous avez une bonne érection mais que vous la perdez au moment de la pénétration (question 12), c'est donc que ce qui vous rend vraiment anxieux, c'est la pénétration. Si, par contre, vous n'avez aucune érection du début à la fin de la relation sexuelle, il faut chercher ailleurs l'origine de votre difficulté. Mais si vous avez des érections matinales (question 3) et n'éprouvez aucun problème lors de la masturbation (question 9), on peut d'ores et déjà éliminer les causes organiques.

Question 13 : Érection et éjaculation
Plusieurs hommes impuissants disent éjaculer sans érection. Cela n'est pas surprenant car les mécanismes de l'érection et de l'éjaculation sont différents. De plus, cela n'indique aucunement que le problème d'érection soit d'origine organique.

Question 14 : Diabète
Le diabète peut être à l'origine d'une impuissance partielle de l'homme. Cependant, si vous êtes diabétique, ne concluez pas trop rapidement que votre difficulté est causée par le diabète. Elle peut être reliée en tout ou en partie, comme elle peut être complètement étrangère à votre état diabétique. Parlez-en à votre médecin traitant.

Question 16 : Les aléas de la vie
La sexualité de l'homme jeune est relativement imperméable aux éléments extérieurs. Mais plus l'homme vieillit plus sa sexualité est reliée aux autres aspects de sa vie. Un homme de cinquante ans qui perd son emploi peut se retrouver momentanément impuissant ou sans aucun désir. Il est important, surtout si vous avez un certain âge, de voir s'il n'y a pas quelque chose de cet ordre qui a pu jouer dans votre cas.

ANALYSE DES RÉSULTATS (MADAME)

Question 1 : Fréquence
(Voir question 1, Monsieur)

Questions 2, 4 et 6 : Attitudes
Votre attitude, sans être nécessairement la cause de son problème, peut avoir un certain effet sur celui-ci Si vous n'êtes préoccupée que par son érection (question 4), vous oubliez le plaisir; et si, chaque fois qu'il perd son érection vous paniquez ou encore vous vous mettez à «travailler» (question 2) pour qu'il la retrouve, vous ne faites qu'accentuer sa tension et la vôtre. Ce qui n'est bon ni pour vous, ni pour lui, ni pour son érection.

De plus, si vous passez votre temps à lui reprocher son état (question 6), cela ne l'aidera pas particulièrement, Je comprends que vous puissiez vous sentir frustrée et déçue. Au lieu de l'accuser, je vous suggère plutôt de parler de vous, de vos besoins : vous souffrez de son incapacité, vous aimeriez vivre des relations sexuelles avec pénétration. Parlez-lui en ce sens et laissez faire les reproches. Il n'a sûrement pas désiré avoir ce problème.

Question 3 : Changement de poids
Si vous avez pris quelques kilos, cela n'influencera sans doute pas son désir ni ses capacités sexuelles. Par contre, si votre poids a augmenté de plus de 40 kilos, c'est une autre histoire. Vous avez beaucoup changé physiquement. Vous ne ressemblez plus vraiment à la femme qu'il a connue. Je sais que cela peut être difficile à admettre, mais il faudrait que vous vous décidiez à regarder le réalité en face et que vous ayez une bonne discussion à ce sujet avec votre conjoint.

Question 5 : Importance accordée à la pénétration
Bien sûr, la pénétration c'est important. Mais si vous focalisez votre attention uniquement sur cette partie de la relation sexuelle

(question 5), vous ne ferez qu'exacerber votre frustration et sa difficulté.

QUE FAIRE?

Certains problèmes d'érection disparaissent d'eux-mêmes. Par contre, s'il y a plus de six mois que vous vivez cette situation, deux solutions s'offrent à vous.

1 - Votre médecin : surtout si vous soupçonnez un problème d'origine physique.
Une bonne adresse : Unité de dysfonctions sexuelles de l'hôpital Saint-Luc à Montréal, Cette équipe multidisciplinaire est en mesure d'effectuer une évaluation complète de votre problème. C'est présentement la seule unité du genre au Québec. Tél. : (514) 281-2490.

2 - Un sexologue : si vous pensez que votre problème est d'ordre psychologique, ou si votre médecin vous a assuré que vous n'aviez rien physiquement. Pour trouver un sexologue professionnel, s'adresser à l'Association des sexologues du Québec. Tél. : (514) 270-9289.

Souffrez-vous d'un manque d'intérêt sexuel?

Les couples où il existe une parfaite harmonie quant à la fréquence des rapports sexuels sont rares. Il y en a toujours un des deux qui en a le goût un peu plus que l'autre. Et même dans les cas où chacun a un désir à peu près équivalent, rien n'assure que celui-ci s'exprimera au même moment.

Cependant, dans certains couples la mésentente sexuelle provient directement du manque d'intérêt de l'un des deux partenaires. Le premier des deux questionnaires suivants s'adresse à celui d'entre vous qui semble avoir le moins de désir sexuel. Le deuxième questionnaire a été conçu pour celui d'entre vous qui manifeste le plus de désir sexuel. Eh oui! Votre attitude peut influencer le désir sexuel de l'être aimé. Qui sait si vous ne lui donnez pas l'impression de le ou la désirer pour trois?

Évidemment, vous ne répondez à ces petits tests que si vous ne vous entendez pas sur la fréquence de vos relations sexuelles. Que vous fassiez l'amour trois fois par jour, par semaine, par mois ou par année, si tous deux vous vous sentez parfaitement satisfaits de votre vie sexuelle, oubliez mes questions à ce sujet.

EST-CE QUE JE MANQUE D'INTÉRÊT SEXUEL?

(À répondre par celui des deux partenaires qui a supposément le moins de désir)

1 - Je pense à la sexualité:
- ❑ a) Tous les jours.
- ❑ b) Deux ou trois fois par semaine.
- ❑ c) Toutes les semaines.
- ❑ d) Tous les mois.
- ❑ e) Moins d'une fois par mois.

2 - Pour moi la sexualité c'est :
- ❑ a) Très important.
- ❑ b) Assez important.
- ❑ c) Peu important.
- ❑ d) Pas important du tout.
- ❑ e) Je n'y ai jamais pensé.

3 - Si mon (ma) partenaire était un accessoire consentant auquel je fais appel lorsque j'ai envie d'avoir des relations sexuelles, nous ferions l'amour :
- ❑ a) Tous les jours.
- ❑ b) Deux ou trois fois par semaine.
- ❑ c) Toutes les semaines.
- ❑ d) Tous les mois.
- ❑ e) Moins d'une fois par mois.

4 - Il m'arrive d'éviter de me rapprocher physiquement de mon (ma) partenaire de peur que cela ne finisse par une relation sexuelle :
- ❑ a) Très souvent.
- ❑ b) Souvent.
- ❑ c) De temps en temps.
- ❑ d) Rarement.
- ❑ e) Jamais.

5 - J'ai l'impression que mon (ma) partenaire :
- ❑ a) Est insatiable.
- ❑ b) Est difficilement rassasiable.
- ❑ c) Serait rassasiable si j'y mettais suffisamment d'effort.
- ❑ d) Serait facilement rassasiable.
- ❑ e) Est rassasié(e).

6 - J'ai des fantasmes sexuels :

- ❑ a) Tous les jours.
- ❑ b) Deux ou trois fois par semaine.
- ❑ c) Trois ou quatre fois par mois.
- ❑ d) Moins de quatre fois par mois.
- ❑ e) Je n'ai jamais de fantasme.

7 - Pour moi, la sexualité :

- ❑ a) C'est beau.
- ❑ b) C'est «l'fun».
- ❑ c) C'est naturel.
- ❑ d) C'est un mal nécéssaire.
- ❑ e) C'est sale.

8 - Avoir une relation sexuelle, c'est :

- ❑ a) Très agréable et satisfaisant.
- ❑ b) Plutôt agréable.
- ❑ c) Ennuyeux.
- ❑ d) Douloureux.
- ❑ e) Dégueulasse.

9 - Il m'arrive de compter le nombre de jours qui me sépare de ma dernière relation sexuelle et de me dire que mon (ma) conjoint(e) doit commencer à s'impatienter :

- ❑ a) Cela m'arrive régulièrement.
- ❑ b) Cela m'arrive de temps en temps.
- ❑ c) Cela m'arrive plutôt rarement.
- ❑ d) Cela m'est arrivé une ou deux fois.
- ❑ e) Cela ne m'est jamais arrivé.

10 - J'ai le temps de faire une de ces cinq activités. Je choisis :

- ❑ a) De faire le ménage.
- ❑ b) De regarder la télévision.
- ❑ c) D'aller voir des amis.
- ❑ d) De me faire couler un bon bain chaud.
- ❑ e) De faire l'amour.

11 - Pour moi, la sexualité est :

- ❑ a) Ma première priorité.
- ❑ b) Une de mes premières priorités.
- ❑ c) Une priorité parmi d'autres.
- ❑ d) Ma 18e priorité.
- ❑ e) Ma dernière priorité.

12 - Je fais l'amour d'abord :

- ❑ a) Pour moi.
- ❑ b) Pour moi et mon (ma) partenaire.

- ❑ c) Pour mon couple.
- ❑ d) Pour mon (ma) partenaire.
- ❑ e) Pour éviter le divorce.

SUIS-JE RESPONSABLE DE SON MANQUE DE DÉSIR?

(À répondre par le partenaire qui a supposément le plus de désir.)

1 - Pour moi, la sexualité :
- ❑ a) Est un dû.
- ❑ b) Est un besoin.
- ❑ c) Est un privilège que chaque conjoint fait partager à l'autre.

2 - Si mon (ma) partenaire s'approche physiquement de moi :
- ❑ a) Il faut que cela se termine par une relation sexuelle.
- ❑ b) J'espère que cela va amener une relation sexuelle.
- ❑ c) J'accepte ce qu'il (elle) me donne sans m'attendre à autre chose.

3 - Je reproche à mon (ma) partenaire son manque d'intérêt sexuel :
- ❑ a) Souvent.
- ❑ b) Quelquefois.
- ❑ c) Rarement ou jamais.

4 - Je surveille les réactions de mon (ma) partenaire dans l'espoir d'y déceler un signe d'ouverture sexuelle (ce soir cela va lui tenter!)
- ❑ a) Souvent.
- ❑ b) Parfois.
- ❑ c) Rarement ou jamais.

5 - Selon moi, mon (ma) partenaire sexuel :
- ❑ a) N'aime pas faire l'amour.
- ❑ b) Aime faire l'amour de temps en temps.
- ❑ c) Aime faire l'amour.

6 - Pour stimuler mon (ma) partenaire, je loue des films pornographiques :
- ❑ a) Souvent.

- ❑ b) Parfois.
- ❑ c) Rarement ou jamais.

7 - Je me suis levé(e) très tôt. J'ai travaillé jusque tard dans la soirée. Je rentre chez moi fourbu(e). Je me couche et m'endors instantanément. Vers deux heures du matin, l'être aimé me réveille en me caressant :

- ❑ a) Je ne suis pas pour laisser passer une telle occasion. Même si je suis exténué(e), je m'exécute.
- ❑ b) Cela dépend. Si je suis trop fatigué(e), je me rendors, mais s'il (elle) arrive à me réveiller vraiment, alors vogue la galère!
- ❑ c) Je ne suis pas capable de faire l'amour lorsque je suis aussi fatigué(e). Je me rendors.

QUESTIONNAIRE «EST-CE QUE JE MANQUE D'INTÉRÊT SEXUEL?»

CALCUL DES RÉSULTATS

Aux questions 1-2-3-6-7-8-11-12
Si vous avez répondu A, donnez-vous 4 points.
Si vous avez répondu B, donnez-vous 3 points.
Si vous avez répondu C, donnez-vous 2 points.
Si vous avez répondu D, donnez-vous 1 point.
Si vous avez répondu E, donnez-vous 0 point.

Aux questions 4-5-9-10
Si vous avez répondu A, donnez-vous 0 point.
Si vous avez répondu B, donnez-vous 1 point.
Si vous avez répondu C, donnez-vous 2 points.
Si vous avez répondu D, donnez-vous 3 points.
Si vous avez répondu E, donnez-vous 4 points.

INTERPRÉTATION DES RÉSULTATS

Vous avez obtenu

- **de 0 à 10 points :**

Votre mésentente sexuelle est sûrement liée à votre manque d'intérêt sexuel. Pour vous, la sexualité semble être la dernière de vos priorités. Vous devez aussi avoir de la difficulté à saisir ce que le sexe pourrait bien vous apporter de profitable dans votre vie. Pour le moment, il s'agit tout au plus d'une tâche parmi d'autres.

- **de 11 à 20 points :**

Vous n'êtes pas un ou une maniaque du sexe, loin de là! Vous n'êtes pas tout à fait indifférent(e) à la sexualité, mais il ne s'agit sans doute pas de la chose importante dans votre vie. Vous avez bien d'autres chats à fouetter. Il est probable que vous ayez un problème d'intérêt sexuel.

- **de 21 à 30 points :**

La sexualité est présente dans votre vie. Sans être votre première priorité, vous ne vous imaginez pas être sans activités sexuelles durant le restant de vos jours. Plus adepte de la qualité que de la quantité, vous préférez faire l'amour moins souvent mais que chaque fois soit enivrante.

• **de 31 à 40 points :**
Il n'y a aucun doute là-dessus, vous avez de l'intérêt sexuel. Peut-être n'est-il pas aussi élevé que chez votre partenaire, mais le désir est là, bien présent. Vous ne souffrez pas comme tel de manque d'intérêt sexuel et votre mésentente est due à une autre cause.

• **de 41 à 48 points :**
Vous avez beaucoup d'intérêt sexuel. J'aurais presque le goût de vous demander pourquoi vous avez ressenti le besoin de répondre à ce questionnaire. Bien sûr, ce doit être qu'il y a une mésentente entre vous deux à ce sujet, mais votre intérêt n'a rien à y voir!

QUESTIONNAIRE «SUIS-JE RESPONSABLE DE SON MANQUE DE DÉSIR»?

CALCUL DES RÉSULTATS

Si vous avez répondu A, donnez-vous 3 points.
Si vous avez répondu B, donnez-vous 2 points.
Si vous avez répondu C, donnez-vous 1 point.

INTERPRÉTATION DES RÉSULTATS

• **de 7 à 10 points :**
Vous avez une attitude positive par rapport à vos relations sexuelles. Vous n'avez sûrement pas grand-chose à voir dans son manque d'intérêt sexuel.

• **de 11 à 14 points :**
Sans le vouloir, il se pourrait que votre façon de faire lui fasse peur. Vous ne voulez surtout pas la ou le forcer, mais votre impatience devient quelquefois assez visible.

• **de 14 à 18 points :**
Vous avez besoin de sexe et vous le montrez. Vous avez de la difficulté à comprendre comment il se fait qu'il ou elle n'a pas le même désir que vous. Sans le vouloir, vous pouvez vous montrer assez intolérant(e).

• **de 19 à 21 points :**
L'autre n'est pas là que pour répondre à vos besoins sexuels, il serait temps que vous vous en rendiez compte! La sexualité est un privilège que l'on s'accorde mutuellement et non une obligation qui fait partie du contrat de mariage.

À PARTIR DE LÀ, QU'EST-CE QU'ON FAIT?

Dans une premier temps, faites-vous part l'un à l'autre de vos résultats respectifs. Êtes-vous d'accord avec ces résultats? Le vôtre ainsi que celui de l'autre? Ensuite, examinez les hypothèses suivantes.

- Première hypothèse : vous avez un manque d'intérêt sexuel et il ou elle semble n'avoir rien à voir là-dedans. À ce moment-là, il serait intéressant pour vous de vous interroger sur votre conception de la sexualité. D'où vous vient ce désintérêt? Avez-vous vécu de mauvaises expériences sexuelles? Vous a-t-on inculqué des valeurs où la sexualité est considérée comme quelque chose de sale et de malsain, etc.? Vous pouvez en discuter avec votre conjoint, mais vous pouvez aussi choisir d'autres confidents.

- Deuxième hypothèse : vous avez un manque d'intérêt sexuel et l'attitude de votre partenaire ne vous aide pas. Dans ce cas, il est tentant de blâmer l'autre et de lui dire : «Tu vois, c'est de ta faute si cela ne me tente pas.» De grâce, évitez ce genre de discussion! Cela ne vous mènera à rien. Regardez plutôt comment vous réagissez l'un vis-à-vis de l'autre. Si vous acceptez de discuter de ce que vous ressentez lorsqu'il ou elle vous dit non ou lorsque vous le ou la sentez vous examiner avec concupiscence, vous arriverez peut-être à mieux vous comprendre et à rectifier le tir.

- Troisième hypothèse : vous ne manquez pas d'intérêt sexuel et l'attitude de votre partenaire ne vous aide pas. Voilà une situation délicate. Serait-il ou serait-elle directement responsable de votre apparente froideur? Est-ce son attitude revendicatrice (j'ai besoin de sexe et tu vas m'en donner) qui vous refroidit? Ou au contraire, est-ce qu'il y a autre chose qui fait que vous n'avez plus le goût de faire l'amour avec lui ou elle? L'aimez-vous encore? Ce sont là des quesitons qui doivent être éclaircies. Encore une fois, évitez les accusations et parlez plutôt de ce que vous ressentez.

- Quatrième hypothèse : vous ne manquez pas d'intérêt sexuel et votre partenaire a une attitude positive face à vos relations sexuelles. Il y a une mésentente, étant donné que vous avez répondu à ce test, mais où est la faute? Se pourrait-il qu'il n'y en ait tout simplement pas? Il peut y avoir mésentente sexuelle dans un couple même si les deux partenaires ont de l'intérêt sexuel. Alors il faut chercher ailleurs. Dans les liens qui vous unissent, dans les moments que vous vous réservez pour la sexualité, dans la place que prennent les enfants, votre travail dans votre vie. Cela ne réglera pas automatiquemenet votre problème, mais au moins vous saurez un peu plus où doivent se diriger vos efforts.

Enfin si malgré des heures de discussion et des tonnes de bonne volonté vous n'arrivez à rien de concret, n'hésitez pas à aller chercher de l'aide auprès d'un sexologue professionnel. Il n'est peut-être pas plus brillant que vous, mais il a l'avantage d'être à l'extérieur de votre couple (donc d'avoir une vision d'ensemble) et d'être habitué de gérer ce type de situation.

Avez-vous un problème de dyspareunie?

La question est simple, mais il faudrait d'abord savoir ce qu'est la dyspareunie. Ce terme est employé par les médecins et les sexologues pour désigner «la douleur génitale répétée et persistante, soit chez l'homme, soit chez la femme, pendant les activités sexuelles ou à la suite de celles-ci[1]». Dans le cadre de ce volume, nous nous attarderons aux dyspareunies féminines et plus spécifiquement aux douleurs à la pénétration. Ceci simplement parce qu'elles sont beaucoup plus fréquentes que les dyspareunies masculines.

Lorsqu'une femme se présente chez le médecin et lui dit qu'elle a mal lorsqu'elle est pénétrée, elle a souvent de la difficulté à préciser de quel type de douleur il s'agit, à quel moment elle apparaît, si des positions sont plus inconfortables que d'autres, etc. Tout ce qu'elle sait c'est que ça fait mal!

Ce petit test vise à vous aider à circonscrire votre douleur, à mieux la connaître. Cela ne la fera pas disparaître, mais vous aidera à comprendre les causes de votre problème et, le cas échéant, à être capable d'expliquer clairement ce qui se passe.

Quant à vous, Monsieur, je vous envoie à la page 262. Peut-être êtes-vous un peu responsable de ce qui arrive à Madame.

---

1. Définition tirée du DSM-111-R, qui est une sorte de bible du diagnostic en Amérique du Nord.

AVEZ-VOUS UN PROBLÈME DE DYSPAREUNIE?

1 - Lorsque je suis pénétrée, ça me fait mal :

- ❑ a) Oui, à chaque fois.
- ❑ b) Non.
- ❑ c) Quelquefois.

Si vous avez répondu B, passez au prochain questionnaire. Vous n'avez pas de problèmes de dyspareunie.

2 - Lorsque je fais l'amour :

- ❑ a) Je lubrifie plutôt facilement.
- ❑ b) Je lubrifie plus ou moins facilement.
- ❑ c) Je ne lubrifie pas.

3 - La douleur se produit généralement :

- ❑ a) À l'entrée du vagin.
- ❑ b) Au milieu du vagin.
- ❑ c) Au fond du vagin.

4 - Lorsque mon compagnon essaie de me pénétrer :

- ❑ a) Son pénis glisse facilement dans mon vagin.
- ❑ b) Il doit y aller tout doucement car c'est très serré à l'intérieur de mon vagin.
- ❑ c) Il ne peut pas vraiment me pénétrer car il y a un mur à l'entrée de mon vagin.

5 - La douleur que je ressens me fait penser :

- ❑ a) À une brûlure.
- ❑ b) À un frottement.
- ❑ c) À une contraction.

6 - Si j'examine mes organes génitaux externes après une relation sexuelle :

- ❑ a) Je ne remarque rien de particulier.
- ❑ b) Je remarque qu'ils semblent irrités.
- ❑ c) Je vois qu'il y a une fissure et (ou) un saignement.

7 - Ma ménopause fait partie :

- ❑ a) De mon passé.
- ❑ b) De mon futur.
- ❑ c) De ma vie d'aujourd'hui.

8 - Je suis sujette aux infections vaginales :

❑ a) Oui.
❑ b) Non.
❑ c) Je ne sais pas.

9 - Je trouve que mon partenaire va trop vite en affaires :

❑ a) Oui.
❑ b) Non.
❑ c) Quelquefois.

10 - Je suis capable d'imaginer une pénétration agréable :

❑ a) Oui.
❑ b) Non.
❑ c) Je n'y ai jamais vraiment pensé.

11 - J'ai déjà été violée et (ou) abusée sexuellement :

❑ a) Oui.
❑ b) Non.
❑ c) Je ne sais pas.

12 - On a déjà diagnostiqué la présence d'herpès au niveau de mes organes génitaux :

❑ a) Oui.
❑ b) Non.
❑ c) Je ne sais pas.

13 - Mon problème de douleur à la pénétration :

❑ a) A toujours été là.
❑ b) Est là depuis plus d'un an.
❑ c) Existe depuis peu de temps.

14 - Mon problème de douleur à la pénétration est apparu :

❑ a) Subitement.
❑ b) Graduellement.
❑ c) Je ne me rappelle pas.

15 - J'ai déjà consulté un médecin pour ce problème :

❑ a) Oui, et il a trouvé quelque chose. J'ai été traitée pour ce «quelque chose» mais cela n'a pas résolu mon problème.
❑ b) Oui, et il m'a dit que tout était normal.
❑ c) Non.

AVEZ-VOUS UNE PART DE RESPONSABILITÉ DANS LE PROBLÈME DE DYSPAREUNIE DE VOTRE CONJOINTE?

1 - Lorsque je pénètre ma partenaire, ça lui fait mal :

☑ a) Oui.
☐ b) Non.
☐ c) Je ne sais pas.

Si vous avez répondu B), passez au prochain questionnaire. Celui-ci ne vous regarde pas.

2 - Pour moi, les préliminaires :

☐ a) Sont très importants.
☑ b) Sont surtout importants pour ma partenaire.
☐ c) Sont une perte de temps.

3 - Si je constate que ma partenaire n'est pas lubrifiée :

☑ a) Cela me préoccupe et m'énerve. Je fais sentir à ma partenaire qu'elle prend beaucoup de temps à s'exciter.
☐ b) Je me dis que je vais peut-être un peu vite en affaires. Je continue donc à la caresser en me disant que l'excitation viendra peut-être.
☐ c) De toute façon, elle ne lubrifie pas. J'essaie quand même de la pénétrer.

4 - Si ma partenaire me dit que je lui fais mal :

☑ a) Je me retire.
☐ b) Je me dépêche d'en finir au plus vite.
☐ c) Je la trouve plaignarde.

5 - Je pense avoir :

☐ a) Un très gros pénis.
☑ b) Un pénis de grosseur normale.
☐ c) Un petit pénis.

ANALYSE DES RÉPONSES

DU COTÉ DE MADAME

Question 1 : Dyspareunique ou pas
Si vous avez répondu A ou C, vous avez un problème de dyspareunie. Toutefois, si vous avez répondu C, il se peut que ce soit dû à un ou à des éléments particuliers : par exemple, la ou les positions adoptées durant la pénétration, la vitesse et la profondeur des va-et-vient de Monsieur, la présence d'une infection, etc.

Question 2 : Lubrification
Si vous avez répondu B ou C, il se peut que votre problème en soit un d'excitation sexuelle. En effet, le premier signe qu'une femme est excitée sexuellement, c'est qu'elle lubrifie. Si vous êtes peu ou pas lubrifiée, c'est que vous n'êtes pas excitée physiologiquement parlant. Les parois du vagin étant sèches, vous avez une sensation de frottement et (ou) de brûlure.

Question 3 :
Si vous avez répondu A, votre dyspareunie pourrait avoir les causes physiologiques suivantes :
- infections vaginales
- infections des lèvres
- lésions ou hypersensibilité au clitoris (peut-être causée par une utilisation exagérée du vibrateur)
- hymen intact et rigide, débris d'hymen douloureux
- problèmes dermatologiques de la vulve
- MTS
- kyste
- épisiotomie trop bien ajustée
- cicatrice de la voûte après une hystérectomie
- adhérences
- brûlure suite à l'irradiation dans les cas de cancer du vagin

Si vous avez répondu B, la cause de votre douleur pourrait être :
- infections vaginales
- MTS
- anomalie congénitale (vagin trop court) ce qui est extrêmement rare
- urétrite, cystite
- emploi de douches vaginales trop fréquentes
- utilisation de savons parfumés et (ou) de désodorisants vaginaux
- allergie au spermicides
- allergie au latex (condom)

Si vous avez répondu C, la cause de votre douleur pourrait être :

- rétroversion utérine fixe (à ne pas confondre avec la rétroversion utérine mobile qui, elle, ne cause pas de dyspareunie)
- cervicite
- endométriose
- salpingite
- congestion pelvienne
- kyste, tumeur aux ovaires
- maladie de l'intestin
- problème de bassin (arthrose de la hanche, entorse lombo-sacrée, problème discal)
- contractions de l'utérus (se produit au moment de l'orgasme)

N.B. : votre douleur peut être due à une de ces causes organiques, mais ne l'est pas nécessairement. En fait de 30 à 50 p. cent des dyspareunies ont une origine organique. Les autres cas sont d'origine psychologique.

Question 4 : difficulté d'intromission
Si vous avez répondu A, votre problème n'a sans doute rien à voir avec votre capacité d'excitation. Sinon, le pénis ne pourrait glisser facilement à l'intérieur de votre vagin.

Si vous avez répondu B, soit que vous ne soyez pas encore excitée et, à ce moment-là, vos parois vaginales sont accolées l'une à l'autre, ce qui ne laisse guère d'espace pour le pénis, soit que vos muscles vaginaux soient contractés.

Si vous avez répondu C, il est fort possible que votre problème ne soit pas la dyspareunie, mais le vaginisme. Le vaginisme (à ne pas confondre avec la vaginite) se manifeste par une contraction involontaire des muscles de l'entrée du vagin, rendant la pénétration extrêmement douloureuse ou impossible. Ce problème d'origine psychologique se produit chez des femmes souvent jeunes et de tempérament phobique. De 1 à 4 p. cent des femmes seraient vaginiques. En passant, ce problème se traite très bien en thérapie sexologique.

Question 5 : Types de douleurs
Il existe plusieurs types de douleur. Il est important que vous soyez capable d'identifier clairement ce que vous ressentez. Une pénétration qui «chauffe» n'est pas reliée aux mêmes causes qu'une sensation de contraction dans le fond du vagin.

Question 6 : Symptômes apparents
Si vous avez répondu B ou C, prenez rendez-vous chez le médecin pour lui montrer la ou les lésions suspectes. Si celles-ci n'apparaissent qu'après la pénétration, il serait peut-être bon d'avoir une relation sexuelle le jour même de votre examen

médical. Le médecin pourra faire le constat lui-même et sera plus en mesure de vous aider.

Question 7 : Ménopause
Si vous avez répondu A ou C, il se peut que la ménopause soit reliée à votre problème de dyspareunie. En effet, l'arrêt de production d'oestrogènes et de progestérones rend le vagin plus sensible et ralentit la vitesse et le volume de la lubrification. La pénétration deviendra plus difficile et la femme ressentira peut-être une envie d'uriner (la vessie et le vagin sont bien proches l'un de l'autre). Dans ce cas, votre médecin pourra vous suggérer des solutions : soit une hormonothérapie, soit une crème à base de vitamine E, soit une gelée lubrifiante (type KY).

Question 8 : Infections vaginales
Certaines douleurs à la pénétration peuvent être causées par des infections vaginales. Attention, certaines de celles-ci sont asymptomatiques, c'est-à-dire que vous n'avez aucun symptôme sauf peut-être une sensation de brûlure lors de la pénétration.

Question 9 : Le partenaire
Évidemment, si votre partenaire est maladroit et bien pressé d'arriver aux «choses sérieuses» (c'est-à-dire pour lui, la pénétration), il y a fort à parier que vous aurez de la difficulté à atteindre le niveau d'excitation nécessaire pour vivre une pénétration agréable.

Question 10 : Le fantasme de la pénétration
On ne peut pas faire ce qu'on est incapable d'imaginer. C'est un principe qui a sa place dans tous les domaines de la vie. Si vous avez répondu B ou C, il serait sans doute temps que vous tentiez d'imaginer une pénétration agréable. Comme dirait ma mère, cela ne vous guérira peut-être pas mais ça ne vous nuira certainement pas.

Question 11 : Viol et abus sexuel
Les victimes de viol et d'inceste paient souvent très longtemps les actes qu'elles ont subis. Même si ce que vous avez vécu remonte à plus de trente ans, il se peut que cela ait encore des répercussions sur votre vie sexuelle. Et la dyspareunie fait partie des conséquences possibles. Si c'est votre cas, je n'ai malheureusement pas de truc miracle à vous offrir. Consultez un sexologue. Vous aurez sûrement besoin d'aide.

Question 12 : Herpès
Il est évident que la présence de lésions d'herpès rend la pénétration douloureuse. Si vous savez que vous souffrez d'herpès et que la douleur est occasionnelle, je pense que c'est la première

cause à soupçonner. Si les douleurs sont toujours là, lésions ou pas, c'est une autre histoire.

Question 13 : Durée du problème
Si vous avez répondu A ou B, il serait temps que vous alliez consulter. Certaines douleurs partent d'elles-mêmes mais rarement après 3,4,5 ou 10 ans!

Question 14 : Moment d'apparition de la douleur
Si vous avez répondu A, essayez de vous souvenir du moment exact où la douleur est apparue. Cela pourrait être très important pour identifier la cause exacte de votre problème. Par exemple, après votre deuxième accouchement, les relations sexuelles ont commencé à être douloureuses. Vous avez l'impression qu'il n'y a plus de place à l'entrée. Dans ce cas, il est possible que vous ayez eu un point de trop à votre épisiotomie[1].

Si vous avez répondu B, vous faites peut-être partie de ces femmes qui ont vu leurs douleurs s'accroître au fur et à mesure des mois et des années. Vous avez sans le vouloir, bien sûr, cultivé une peur de plus en plus forte de la pénétration, ce qui la rend de plus en plus douloureuse.

Si vous avez répondu C, réfléchissez-y. Ce serait bien que vous arriviez à vous souvenir.

Question 15 : Consultation médicale
Vous avez déjà vu un médecin à ce sujet. Il a trouvé quelque chose. Il vous a traitée. La douleur est encore là. Malheureusement, cela arrive parfois. Vous savez, même si une dyspareunie est d'origine organique, il se peut qu'ayant eu mal durant des mois et des années elle soit devenue aussi psychologique. Ne soyez pas découragée. Qu'on ait réglé le problème organique, c'est déjà cela de pris. Il vous reste maintenant à vous occuper de la deuxième partie du problème.

Si vous avez répondu B, ce n'est pas que je croie votre médecin incompétent, mais allez donc en voir un autre. Juste pour vous rassurer. Juste pour être certaine qu'il n'y a rien d'anormal. Certains médecins sont plus à l'aise que d'autres avec ce type de problème. De plus, comme nous l'avons vu à la question 6, certaines lésions ne sont visibles que peu de temps après la relation sexuelle.

---

1. Episiotomie : acte médical qui consiste à agrandir chirurgicalement l'entrée du vagin lors de l'accouchement et à le recoudre tout de suite après.

Si vous avez répondu C, je vous suggère fortement d'aller consulter un médecin en qui vous avez confiance. C'est la première démarche à faire.

DU CÔTÉ DE MONSIEUR

Question 1 : Conscience du problème
Si vous ne savez si votre partenaire apprécie ou non la péntration il y a sûrement soit un manque d'attention de votre part, soit une grande difficulté de communication dans votre couple. S'il vous plaît, informez-vous.

Question 2 : Préliminaires
Si vous considérez que les préliminaires sont une perte de temps, il est fort possible que vous les réduisiez à leur plus simple expression. Ne vous étonnez alors pas si votre partenaire n'est pas lubrifiée. L'excitation est plus lente à se faire chez elle et il faut que vous le compreniez.

Question 3 : Réaction à l'absence de lubrification
Ce n'est pas en culpabilisant votre partenaire (réponse A) que vous l'exciterez davantage, bien au contraire! Quant à la méthode qui consiste à ne pas s'occuper d'elle (réponse C), elle ne dénote qu'un manque évident d'attention à l'autre. Quand on fait l'amour, on est deux, ne l'oubliez pas.

Question 4 : Réaction à la douleur de la partenaire
Vous avez répondu B. C'est bien gentil de ne pas vouloir éterniser son supplice, mais lorsque c'est douloureux on désire que la douleur cesse immédiatement. Vous ne le faites peut-être pas pour mal faire, mais vous êtes peut-être un peu égoïste là-dedans.

Vous avez répondu C. Qui êtes-vous pour juger la douleur de l'autre? Savez-vous exactement ce qu'elle ressent? Avez-vous déjà essayé d'imaginer ce qu'elle pouvait ressentir? Comment réagiriez-vous si on vous traitait de plaignard parce que vous dites avoir mal? De grâce, soyez un peu plus compatissant. Elle ne fait pas ça pour vous faire enrager.

Question 5 : Grosseur du pénis
Dans de très rares cas, il peut y avoir une disproportion entre la grosseur du pénis de l'homme et la grandeur du vagin de la femme. Normalement, le vagin est fait pour s'adapter aux différents formats de pénis. Cependant, il arrive que la femme ait un vagin un peu plus petit que la moyenne et l'homme un pénis plus gros que la moyenne. Un examen médical peut rassurer la femme à ce sujet. Quant à vous, Monsieur, vous pouvez aller voir à la page 136 de ce volume. Vous y trouverez les grandeurs et gros-

seurs normales du pénis en érection. Après, vous n'aurez qu'à mesurer.

QUELQUES MOTS DE PLUS SUR LA DYSPAREUNIE

Comme nous l'avons vu, de 30 à 50 p. cent des problèmes de dyspareunie ont une origine organique. Il est donc très important de consulter un médecin à ce sujet. Si le problème est médical, la solution sera sans doute aussi médicale. Cependant, il arrive que la femme ait aussi besoin d'une aide sexologique pour faire disparaître toutes ses craintes et sa douleur.

Dans le cas où le problème est d'origine psychologique, cela ne signifie pas que vous êtes folle ou qu'il y a quelque chose qui ne tourne pas rond avec vous. La simple peur d'avoir mal peut causer le mal. Et ce n'est pas simplement en vous disant que vous n'avez pas de raisons d'avoir peur que vous allez cesser d'avoir peur. Cela ne se contrôle pas comme ça. C'est là qu'un sexologue professionnel peut vous aider. En vous faisant comprendre les causes de votre douleur, en vous enseignant des méthodes de relaxation, en vous suggérant des façons concrètes de faire face à votre ou vos peurs, en vous donnant aussi certains trucs qui s'adressent particulièrement à vous, il pourra vous amener sur le chemin du plaisir même dans la pénétration. Parce que vous savez, la pénétration peut être extrêmement agréable!

Avez-vous un problème d'anorgasmie?

L'anorgasmie, c'est l'incapacité pour une femme à atteindre l'orgasme. Entre 10 et 20 p. cent des femmes auraient ce type de problème. Par contre, elles ne le vivent pas toutes de la même façon. Bien sûr, il y a celle qui n'a jamais eu d'orgasme. Mais il y a aussi celle qui l'atteint lors d'activités masturbatoires, mais qui n'arrive pas à s'en approcher lorsqu'elle fait l'amour avec son partenaire. Il ne faudrait pas non plus oublier celle qui l'a déjà eu et qui ne l'a plus et, enfin, la dernière mais non la moindre, celle qui obtient l'orgasme clitoridien mais pas l'orgasme vaginal.

Faites-vous partie de ce club sélect? Pour le savoir, répondez aux questions suivantes. Quant à vous, Messieurs, je vous invite à vous rendre à la page 275.

AI-JE UN PROBLÈME D'ANORGASMIE?

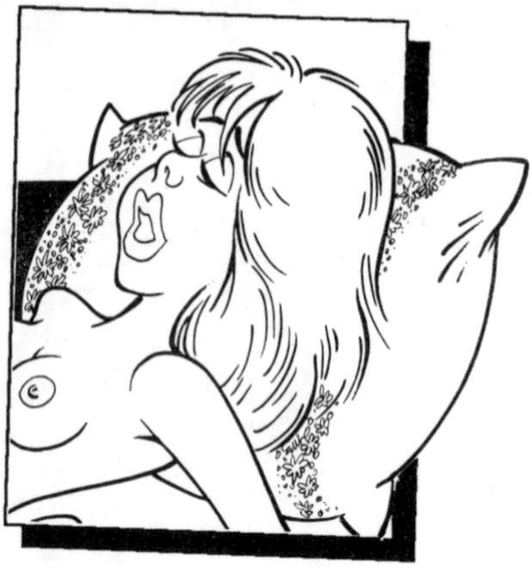

1 - J'atteins l'orgasme :

- ❑ a) Régulièrement.
- ❑ b) Parfois.
- ❑ c) Rarement.
- ❑ d) Jamais.
- ❑ e) Je ne sais pas si j'ai un orgasme.

2 - Je me sens satisfaite de l'intensité de mes orgasmes :

- ❑ a) À 100 p. cent.
- ❑ b) À 75 p. cent.
- ❑ c) À 50 p. cent.
- ❑ d) À 25 p. cent.
- ❑ e) Je n'ai pas d'orgasme.

3 - Je suis satisfaite de ou des types d'orgasmes que j'atteins :

- ❑ a) À 100 p. cent.
- ❑ b) À 75 p. cent.
- ❑ c) À 50 p. cent.
- ❑ d) À 25 p. cent.
- ❑ e) Je n'ai pas d'orgasme.

Si vous avez répondu a) à ces trois questions, passez au prochain test. L'anorgasmie n'est pas votre problème.

4 - Mon ou mes orgasmes sont surtout :

- ❑ a) Clitoridiens.
- ❑ b) Vaginaux.
- ❑ c) Clitoridiens et vaginaux.
- ❑ d) Je n'ai pas d'orgasme.
- ❑ e) Je ne sais pas si j'atteins l'orgasme.

5 - Lorsque je fais l'amour, il m'arrive de me dire : «Ça y est, là il me semble que j'approche du but.» :

- ❑ a) Souvent.
- ❑ b) Parfois.
- ❑ c) Rarement.
- ❑ d) Jamais.
- ❑ e) Je n'ai jamais remarqué si je faisais ça.

6 - Lorsque je fais l'amour, mon but est :

- ❑ a) D'être satisfaite.
- ❑ b) D'être satisfaite et de satisfaire mon partenaire.
- ❑ c) D'atteindre l'orgasme vaginal.

- ❑ d) D'atteindre l'orgasme, peu importe son type.
- ❑ e) D'en finir au plus vite.

7 - La pénétration est :

- ❑ a) Agréable et excitante.
- ❑ b) Agréable sans plus.
- ❑ c) Plus ou moins agréable.
- ❑ d) Douloureuse.
- ❑ e) Je ne m'aperçois même pas qu'il est à l'intérieur de moi.

8 - La pénétration dure :

- ❑ a) Plus de 15 minutes.
- ❑ b) De 10 à 15 minutes.
- ❑ c) De 5 à 10 minutes.
- ❑ d) De 2 à 5 minutes.
- ❑ e) Moins de 2 minutes.

9 - Si je me masturbe, j'atteins l'orgasme :

- ❑ a) À toutes les fois.
- ❑ b) La plupart du temps.
- ❑ c) De temps en temps.
- ❑ d) Rarement ou jamais.
- ❑ e) Je ne me suis jamais masturbée.

10 - Pour me masturber, j'utilise un vibromasseur :

- ❑ a) À toutes les fois.
- ❑ b) La plupart du temps.
- ❑ c) De temps en temps.
- ❑ d) Rarement ou jamais.
- ❑ e) Je ne me suis jamais masturbée.

11 - Lorsque je fais l'amour, je lubrifie :

- ❑ a) Facilement.
- ❑ b) Plus ou moins facilement.
- ❑ c) Cela dépend. Parfois, je lubrifie facilement, parfois, c'est plus difficile.
- ❑ d) Difficilement.
- ❑ e) Je ne lubrifie pas.

12 - Selon moi, ma difficulté à atteindre l'orgasme :

- ❑ a) Est apparue graduellement.
- ❑ b) Est apparue de façon subite.
- ❑ c) A toujours été là.
- ❑ d) Est apparue à la suite d'un traumatisme (viol).
- ❑ e) Je ne me souviens pas du moment de son apparition.

13 - Avec mes autres partenaires sexuels :

- ❑ a) J'arrivais plus souvent à l'orgasme.

❑ b) J'arrivais moins souvent à l'orgasme.
❑ c) J'arrivais à l'orgasme de la même façon qu'aujourd'hui.
❑ d) Je n'ai jamais eu d'orgasme de toute façon.
❑ e) Je n'ai jamais eu d'autres partenaires.

14 - Lorsque je fais l'amour, j'ai peur :
❑ a) Que les enfants entendent.
❑ b) Que les voisins entendent.
❑ c) Que les enfants nous surprennent.
❑ d) Je n'ai pas peur de ce genre de chose.
❑ e) Je n'y ai jamais pensé.

15 - J'ai des relations sexuelles :
❑ a) À tous les jours.
❑ b) 2 ou 3 fois par semaine.
❑ c) À toutes les semaines.
❑ d) À tous les mois.
❑ e) Moins d'une fois par mois.

16 - J'ai des relations sexuelles :
❑ a) Depuis quelques mois.
❑ b) Depuis un an.
❑ c) Depuis 2 à 4 ans.
❑ d) Depuis 5 ans.
❑ e) Depuis plus de 5 ans.

17 - Après l'amour, mon partenaire me demande si j'ai joui :
❑ a) À chaque fois.
❑ b) Souvent.
❑ c) Parfois.
❑ d) Rarement.
❑ e) Jamais.

18 - Mon partenaire me dit que je ne dois pas être normale parce que toutes les femmes qu'il a connues atteignaient l'orgasme avec lui :
❑ a) Souvent.
❑ b) Parfois.
❑ c) Rarement.
❑ d) Il me l'a déjà dit une fois.
❑ e) Je n'ai jamais entendu mon partenaire dire quelque chose de semblable.

19 - Mis à part l'orgasme, je me sens :
❑ a) Très satisfaite de ma vie sexuelle.
❑ b) Relativement satisfaite de ma vie sexuelle.
❑ c) Plus ou moins satisfaite de ma vie sexuelle.
❑ d) Insatisfaite de ma vie sexuelle.
❑ e) Comment voulez-vous être satisfaite sans orgasme?

20 - Selon moi, mon partenaire :

❑ a) Est un bon amant.
❑ b) Est un amant moyen.
❑ c) Est un amant médiocre.
❑ d) Est un mauvais amant.
❑ e) N'est même pas un amant.

QUELLE EST VOTRE PART DE RESPONSABILITÉ DANS LE PROBLÈME D'ANORGASMIE DE VOTRE CONJOINTE?

1 - Ma partenaire atteint l'orgasme :

❑ a) Régulièrement.
❑ b) Parfois.
❑ c) Rarement.
❑ d) Jamais.
❑ e) Je ne sais pas si elle atteint l'orgasme.

2 - Je crois que ma partenaire est satisfaite de l'intensité de ses orgasmes :

❑ a) À 100 p. cent.
❑ b) À 75 p. cent.
❑ c) À 50 p. cent.
❑ d) Elle n'a pas d'orgasme.
❑ e) Je ne sais pas si elle atteint l'orgasme.

3 - Je suis satisfait du ou des types d'orgasmes qu'elle atteint :

❑ a) Très satisfait.
❑ b) Satisfait.
❑ c) Plus ou moins satisfait.
❑ d) Pas satisfait du tout.
❑ e) Je ne sais pas si elle atteint l'orgasme.

Si vous avez répondu A à ces trois questions, passez au prochain test. L'anorgasmie n'est pas votre problème ni celui de votre partenaire.

4 - La pénétration dure :

❑ a) Plus de 15 minutes.
❑ b) De 10 à 15 minutes.
❑ c) De 5 à 10 minutes.
❑ d) De 2 à 5 minutes.
❑ e) Moins de 2 minutes.

5 - Si je ne fais pas jouir ma partenaire par la pénétration, je me sens :

❑ a) Très déçu.

❏ b) Assez déçu.
❏ c) Déçu mais, comme elle a l'orgasme clitoridien, je ne m'en fais pas trop.
❏ d) Si elle me dit qu'elle est satisfaite, c'est ce qui compte.
❏ e) Qu'elle jouisse ou non n'est pas vraiment important pour moi.

6 - Après l'amour, il m'arrive de demander à ma partenaire si elle a joui :
❏ a) Toujours.
❏ b) Souvent.
❏ c) Parfois.
❏ d) Rarement.
❏ e) Jamais.

7 - Selon moi, un bon amant doit être capable de faire jouir sa partenaire par pénétration :
❏ a) À chaque relation sexuelle.
❏ b) À la plupart des relations sexuelles.
❏ c) De temps en temps, c'est important, mais ce n'est pas ce qui compte le plus.
❏ d) Ce qui compte le plus selon moi, c'est sa satisfaction. Qu'elle jouisse par pénétration ou autrement ne compte pas vraiment.
❏ e) De toute façon, elle ne jouit pas. Pourquoi est-ce que je m'en préoccuperais?

8 - Sauf ma partenaire, toutes les femmes avec qui j'ai fait l'amour ont joui avec moi :
❏ a) Oui, toutes ou presque toutes.
❏ b) Certaines n'ont pas joui.
❏ c) Aucune n'a joui.
❏ d) Je ne sais pas.
❏ e) Je n'ai eu qu'une partenaire sexuelle dans ma vie.

9 - Le fait que ma partenaire n'atteigne pas l'orgasme comme je le voudrais :
❏ a) M'inquiète énormément.
❏ b) M'inquiète assez.
❏ c) M'inquiète un peu.
❏ d) Ne m'inquiète pas, car elle semble satisfaite quand même.
❏ e) C'est son problème, pas le mien, alors cela ne m'inquiète pas.

10 - Pour que ma partenaire atteigne l'orgasme :
❏ a) J'ai tout essayé.
❏ b) J'ai essayé plusieurs choses.
❏ c) J'ai essayé une ou deux choses.
❏ d) Je n'ai rien fait de particulier.
❏ e) Il n'y a rien à faire avec elle.

INTERPRÉTATION DES RÉSULTATS DU COTÉ DE MADAME

Question 1 : Atteinte de l'orgasme
Rares sont les femmes qui atteignent l'orgasme lors de toutes leurs activités sexuelles. Aussi, contrairement à l'homme où éjaculation et orgasme sont liés, nous n'avons aucun signe aussi visible que nous ayons obtenu un ou des orgasmes. Bien sûr, il y a certaines réactions physiologiques, mais elles ne sont pas évidentes. Tout est question de perception. Si vous avez répondu que vous ne savez pas si vous atteignez l'orgasme, il y a de fortes probabilités que vous n'en ayez pas. Toutefois, j'ai rencontré des femmes qui, tout en affirmant ne pas avoir d'orgasme, décrivaient des réactions très semblables à celle de l'extase sexuelle.

Question 2 : Intensité
L'intensité de nos orgasmes peut énormément varier. Aucune femme ne vit cela de façon identique. Et pour une même femme, l'intensité peut varier d'une fois à l'autre et d'un partenaire à l'autre. C'est vous qui, présentement, savez si vous êtes satisfaite de l'intensité de votre ou de vos orgasmes.

Questions 3-4-6 : Types d'orgasmes
Certaines femmes ayant des orgasmes, de façon régulière et satisfaisante, ont quand même l'impression d'avoir un problème d'anorgasmie. Ceci simplement parce qu'elles n'atteignent pas le seul bon orgasme, c'est-à-dire l'orgasme vaginal. Si vous avez répondu C ou D à la question 3, A à la question 4, et C à la question 6, il se peut que votre problème n'en soit pas vraiment un. Je m'explique. Ce qui compte dans la sexualité, ce n'est pas le nom que vous donnez à votre jouissance ni son origine. C'est le plaisir et la satisfaction qu'on en retire. Je ne dis pas que vous n'aurez jamais d'orgasme par pénétration mais, chose sûre et certaine, plus vous allez courir pour l'attraper, plus il vous fuira.

Questions 5-6 : L'obsession de l'orgasme
L'orgasme n'aime pas qu'on coure après lui. Lorsqu'on se fixe comme objectif d'atteindre l'orgasme, on commence la course. On peut atteindre un certain niveau d'excitation mais, à partir du moment où l'on se dit «il me semble que j'approche du but», on se coupe de son plaisir et on ne ressent plus grand-chose (question 5). Le seul objectif qu'on doit avoir lorsqu'on fait l'amour, c'est d'être satisfaite. On peut certes vouloir satisfaire sont partenaire, mais cela ne peut être notre unique priorité (question 6).

Questions 7-8 : Pénétration

Je suis toujours surprise du nombre de femmes qui ne font pas le lien entre leur douleur et l'absence d'orgasme. Pourtant, il me semble évident que lorsque la pénétration fait mal, on ne peut s'attendre à jouir vaginalement. De la même façon, une femme ne peut atteindre l'orgasme vaginal lorsque la pénétration dure 48 secondes (question 8). De grâce, donnez-vous une chance et un peu de temps!

Enfin si vous avez répondu E à la question 7, il se peut que vos muscles vaginaux (muscles pubo-occygiens) soient relâchés. Quelques exercices simples (ils sont décrits à la page 282) pourront vous aider à rétablir votre tonus musculaire.

Questions 9-10 : Masturbation

Lors de la masturbation, la majorité des femmes atteignent l'orgasme sans problème. Si vous avez répondu A-B ou C à la question 9, et que votre difficulté n'apparaisse que lorsque vous faites l'amour, il se peut que vous soyez incapable de vous abandonner complètement à la relation sexuelle. Un peu comme si quelqu'un ou quelque chose vous interdisait de vous laisser aller devant l'autre. Si vous avez répondu E à cette même question, peut-être ne serait-il pas inutile que vous alliez à la recherche de vos points sensibles. Vous savez, les activités solitaires sont une forme d'apprentissage très valable. Si vous vous demandez par où commencer, la petite expérience décrite en page 283 pourra vous aider.

La question 10 vise à vous mettre en garde par rapport au vibromasseur. Cet instrument peut vous procurer de grandes sensations. Par contre, si vous atteignez vos premiers orgasmes à l'aide du vibromasseur, vous aurez peut-être une certaine difficulté à passer à autre chose. Voyez-vous, les stimulations d'un vibrateur et celles d'une pénétration plus «habituelle» ne sont ni du même type ni de la même intensité.

Question 11 : Difficulté d'excitation

Si vous avez répondu B-C-D ou E à cette question, votre problème n'est pas l'orgasme. C'est l'excitation qui fait défaut. En effet, la lubrification est le premier signe physiologique de l'excitation sexuelle féminine. En d'autres termes, si vous n'êtes pas lubrifiée, vous n'êtes pas excitée. Et si vous n'êtes pas excitée, oubliez l'orgasme. Celui-ci suit l'excitation, il ne la précède pas.

Bien qu'il arrive que certains problèmes organiques puissent causer un problème de lubrification, la plupart du temps cette difficulté est d'origine psychologique.

Question 12 : Moment d'apparition du problème

Si vous pouvez mettre le doigt sur le moment d'apparition de votre anorgasmie, vous avez peut-être là une partie de la solution. Par exemple, si vous n'avez plus d'orgasme depuis que vous avez découvert l'infidélité de Monsieur, votre problème est sans doute relié à une incapacité de lui faire suffisamment confiance pour vous laisser aller totalement dans ses bras. Cela ne réglera pas automatiquement votre problème mais vous indiquera la voie à suivre.

Si vous avez répondu D à cette question, je ne peux pas vous donner de truc. Vous avez besoin d'aide. Allez consulter un sexologue.

Questions 13-17-18 et 20 : L'importance du partenaire
Si avec un autre partenaire (question 13), vous arriviez plus souvent à l'orgasme, si celui que vous avez présentement passe son temps à vous demander si vous avez joui (question 17), et à vous assurer que vous n'êtes pas normale (question 18), enfin, si en plus, vous le considérez comme un amant médiocre (question 20), il a sûrement quelque chose à voir dans votre difficulté. Quelle est sa part de responsabilité? Vous avez une bonne discussion en perspective.

Question 14 : Peur reliée aux autres
Lorsqu'on est constamment aux aguets de peur que les autres (enfants, voisins) nous entendent et (ou) nous surprennent, il est à peu près impossible de se laisser aller suffisamment pour atteindre l'orgasme.

Question 15 : Fréquence des relations sexuelles
Bien que la fréquence des relations sexuelles n'ait rien à voir directement avec l'atteinte de l'orgasme, moins on en a, moins on se donne de chance de l'atteindre. Si vous avez répondu D ou E, pensez-y.

Question 16 : Expérience sexuelle
Il est rare qu'une femme ait ses premiers orgasmes lors de ses premières relations sexuelles. Cela prend un peu de temps et d'expérience. Si vous avez répondu A ou B à cette question, donnez-vous encore une année avant de vous inquiéter.

Question 19 : Satisfaction
Ce qui compte d'abord et avant tout dans la sexualité, ce n'est ni le nombre ni le type d'orgasme, c'est la satisfaction. Si vous avez répondu A ou B à cette question, ne vous en faites pas trop avec cette question d'orgasme. Un jour, sans trop savoir pourquoi, il apparaîtra. Par contre, si vous avez répondu C, D ou E, il serait bien que vous vous occupiez de votre vie sexuelle. Non pas en voulant à tout prix atteindre l'orgasme, mais simplement en vous demandant ce que vous pourriez bien faire pour améliorer votre satisfaction sexuelle. Je sais, c'est plus facile à dire qu'à faire.

Une piste pour y arriver : arrêtez de parler de votre «problème» et commencez à penser à des «solutions».

DU CÔTÉ DE MONSIEUR

Questions 1-2-6-9 : Préoccupation par rapport aux orgasmes de la partenaire.
Que vous soyez conscient de ce que vit votre partenaire (question 1), c'est bien; que vous ayez une idée de l'intensité de sa satisfaction (question 2), c'est bien aussi. Mais si vous passez votre temps à lui demander si elle a joui, sans le savoir, vous lui mettez de la pression sur les épaules. Pour que vous soyez content, il faut qu'elle ait l'orgasme! Alors, elle essaye de l'atteindre pour vous faire plaisir et elle fait chou blanc! La prochaine fois (si vous êtes du genre «as-tu joui, combien de fois, comment et pourquoi»), demandez-lui plutôt si elle se sent bien.

Enfin, si votre inquiétude (question 9) prouve que vous n'êtes pas indifférent à ce qui arrive, il ne faudrait tout de même pas considérer l'absence d'orgasme comme un désastre national. Vous ne ferez qu'empirer les choses.

Questions 3-5-7 : Importance de l'orgasme vaginal
Si vous avez répondu C ou D à la question 3 et A ou B aux questions 5 et 7, vous êtes sans doute assez préoccupé par le fait que votre partenaire n'atteigne pas l'orgasme par pénétration. Le faisant, sans le vouloir, vous ne l'aidez pas beaucoup et vous ne vous aidez pas beaucoup. Que ce soit votre pénis, votre main ou votre bouche qui la fasse jouir, quelle importance? C'est toujours vous qui êtes là. Et dans le fond, est-ce que ce n'est pas ça qui compte?

Question 4 : Durée de la pénétration
Si vous avez répondu D ou E, il se peut que ce soit le contrôle de votre éjaculation qui soit en cause. Une femme ne peut pas jouir vaginalement (sauf exception) après 30 secondes de pénétration.

Question 8 : Toutes les femmes que j'ai connues avant, ont joui avec moi.
Si vous êtes du genre à afficher cette certitude (réponse A), vous ne faites qu'accentuer le sentiment d'anormalité chez votre partenaire. De plus, vous faites preuve d'une certaine prétention. Comment pouvez-vous être certain de ce que vous avancez?

Si vous avez répondu C, il faudrait commencer à vous poser des questions sur vos habiletés en tant qu'amant.

Question 10 : Ce qu'on a essayé
Lorsqu'un homme me dit à propos de sa partenaire :«J'ai tout essayé pour la faire jouir.» je pense intérieurement qu'il a peut-être

justement trop essayé. Chez certains hommes, le désir de faire jouir la partenaire peut ressembler à de l'acharnement thérapeutique et donner exactement l'inverse de ce qu'on prévoyait. Si vous avez répondu A ou B, c'est peut-être votre cas. À l'autre extrême, si vous avez répondu E, ne croyez-vous pas que vous ne donnez pas beaucoup de chance à votre partenaire? Aucune femme n'est dénuée de la capacité de jouir. Certaines ont simplement plus de difficultés que d'autres pour laisser libre cours à ce potentiel.

QUELQUES SUGGESTIONS

1. Arrêtez de courir après l'orgasme. Vous n'arriverez jamais à rien de cette façon. L'orgasme est la conséquence d'une accumulation de plaisir et non la cause du plaisir. Un moment donné, votre excitation et votre plaisir deviennent tellement forts qu'ils déclenchent le processus de l'orgasme.

2. Donc, concentrez-vous sur votre plaisir du moment. Aussitôt que vous vous mettez à penser à l'orgasme, dites «stop» et revenez à ce que vous ressentez au moment même.

3. Donnez-vous un nouvel objectif dans votre vie sexuelle : celui d'être satisfaite sexuellement, avec ou sans orgasme.

4. Arrêtez de dire que vous n'avez rien parce que vous n'atteignez pas l'orgasme. Vous avez du plaisir, reconnaissez-le. Cela ne vous donnera pas l'orgasme automatiquement, mais au moins vous allez cesser de vous percevoir comme la femme qui n'a rien.

5. Ne pas avoir d'orgasme ne fait pas de vous une femme anormale. Autant votre partenaire que vous-même devez en être convaincus. Vous considérer comme une «bibite» rare ne vous aidera nullement.

6. Acceptez chacun de prendre vos responsabilités sans dramatiser. Vous n'êtes ni l'un ni l'autre coupables de quoi que ce soit. Vous aimeriez tous deux que Madame obtienne l'orgasme, c'est compréhensible. Mais évitez les discussions du genre «c'est ma faute, c'est ta faute».

7. Pour en savoir plus sur l'orgasme et ses mécanismes, vous pouvez consulter un de mes ouvrages précédents, particulièrement *L'orgasme, de la compréhension à la satisfaction*, Edimag, 1989.

EXERCICES POUR LE PUBO-COCCYGIEN

Le découvrir
Avant d'entreprendre un programme d'entraînement de son pubo-coccygien, il est essentiel de bien savoir où il se situe.

Donc, durant deux ou trois jours, faire ce qui suit lors de la miction[1], sauf celle du matin, en se levant. À chaque miction, commencer à uriner, arrêter, continuer, arrêter, recommencer, arrêter jusqu'à l'écoulement total de l'urine. Le muscle qui permet d'uriner et d'arrêter, c'est le pubo-coccygien. Lorsqu'on urine, on le détend; lorsqu'on arrête, on le contracte. Après deux ou trois jours de ce manège, on devrait bien sentir le muscle qui travaille. Pour certaines femmes, cela prendra quelques jours de plus. Ce n'est pas inquiétant.

Arrêter cet exercice lorsqu'on a bien isolé son muscle pubo-coccygien.

A. Exercice sans résistance
Il s'agit de contracter et de détendre son muscle à vide,dix fois par jour, dix fois chaque jour. Cela peut sembler beaucoup, mais, en fait, cet exercice se fait pratiquement n'importe où et de manière très discrète. Pour s'aider à ne pas oublier ses exercices, on peut, par exemple, faire une séquence de dix contractions-détentes à chaque fois qu'on entre dans la cuisine ou si on conduit régulièrement, à chaque feu rouge qu'on attrape ou encore, à chaque coup de téléphone que l'on reçoit.

Après deux semaines, on ajoute à chacune des dix séquences, la finale suivante. On tient sa dernière contraction durant dix secondes. Cet ajout a pour but d'accroître non seulement la force, mais aussi la résistance de notre P.C.

B. Exercice des six secondes
Après quelques semaines de pratique de l'exercice sans résistance (le deuxième), on peut faire l'exercice des six secondes qui, lui, est un exercice avec résistance. C'est-à-dire qu'on aura à contracter et à détendre le muscle sur un objet qui fera office de résistance (un peu comme on se sert des haltères pour renforcer ses biceps). Cet objet pourra être un vibrateur, une bougie recouverte d'un condom ou même son doigt.

---

1. Miction : action d'uriner.

Après une activité de relaxation, on s'installe confortablement dans son lit. En position assise, le dos bien appuyé, en s'aidant d'un miroir et d'une lumière, on insère l'objet dans son vagin (on peut se servir de gelée lubrifiante stérile qu'on trouve facilement en pharmacie pour faciliter cette insertion). On prend une profonde respiration et on fait ce qui suit en disant :

1. Contracte (seulement le P.C.)
2. Tiens bon
3. Tiens bon
4. Tiens bon
5. Plus fort (en s'aidant des muscles des cuisses, des fesses et du ventre)
6. Détends.

On compte 1 000, 2 000, 4 000, 5 000, 6 000 (il est important de détendre aussi longtemps que l'on contracte. Compter par milliers prend plus de temps que par unité et nous assure de bien détendre notre P.C.) On reprend une profonde respiration et on recommence.

On doit faire cet exercice durant quinze minutes, trois fois par semaine. Je vous avertis : il s'agit d'un exercice assez fatigant, mais très efficace.

Après quelques semaines de pratique de ces exercices on devrait commencer à sentir une différence appréciable. Si la force de notre P.C. nous satisfait, on interrompt les exercices. On peut les reprendre au besoin.

EXPLORATION SENSORIELLE

Cet exercice a pour objectif de vous aider à mieux connaître les sensations de votre corps. Il s'agira pour vous d'essayer plusieurs types de touchers.

1. Après une activité de relaxation ou une activité de détente comme un bon bain chaud, asseyez-vous confortablement dans votre lit. Vous êtes nue. Assurez-vous que la température ambiante soit agréable.

2. Commencez doucement et en lenteur à effleurer votre main gauche avec votre main droite. L'idée n'est pas de se dire : «La sexologue a dit que c'était bon, ça doit l'être.» Non, il s'agit d'un exercice d'**exploration**, ne l'oubliez pas. Vous devez donc vous demander ce que cela vous fait : est-ce que ça chatouille, fait mal, comment est la texture de ma peau? Concentrez-vous sur votre

sensation quelques instants. Puis passez au bras droit, à la main droite. Remontez à la racine des cheveux, aux oreilles, au visage et continuez ainsi de suite jusqu'au gros orteil. N'oubliez pas le dos ni les organes génitaux. Effleurez tous les endroits de votre corps que vous pouvez atteindre.

3. Reprenez la procédure au point 2, mais cette fois-ci en essayant la caresse. Ensuite le palpage. Et tant qu'à faire, pourquoi ne pas essayer le pétrissage (pour celles particulièrement qui ont de petites poignées d'amour), le grattement, le tapotement, les serpentins (mouvement imitant la reptation du serpent), le pincement léger?

N.B. Cet exercice prend au moins trente minutes.

Le mot de la fin

J'espère que ces tests vous ont divertis et qu'ils ont pu vous être utiles.

Peut-être vous êtes-vous rendu compte que vous étiez parfaitement heureux et satisfaits? Alors, bravo et continuez de cultiver votre bonheur. Mais peut-être avez-vous réalisé qu'il y avait certains problèmes entre vous? Dans ce cas, la prise de conscience, c'est déjà un pas vers la solution. Ou peut-être connaissez-vous vos difficultés sans en saisir l'ampleur? C'est sans doute l'occasion de commencer à agir.

Certains couples trouveront en eux-mêmes les ressources pour régler leur problème. Pour d'autres, même s'ils ont toute la bonne volonté du monde, il sera nécessaire de consulter un professionnel. Mais avant d'en arriver là, il faut que le couple se soit donné une chance. Si le problème auquel vous faites face n'est là que depuis quelques mois, et qu'il ne contamine pas toute votre relation (c'est-à-dire que vous êtes encore capables de vous adresser la parole sans vous détruire), misez sur vos capacités à trouver une solution. En discutant calmement, en ne dramatisant pas et en ne vous accusant pas mutuellement, la loi des probabilités joue en votre faveur.

Par contre, si vous voyez que vous piétinez et que vous n'arrivez pas à en sortir, n'attendez pas dix ans avant de consulter un sexologue[1].

Malheureusement, il arrive parfois que des gens attendent d'être sur le point de se séparer avant de demander de l'aide. À ce moment-là, il devient très difficile de ramener ce couple sur le chemin de l'harmonie sexuelle. Il est à noter que l'efficacité des traitements sexologiques est de 70 % à 80 %.

Ceci dit, quel que soit l'état de votre couple, tant qu'il y a de l'amour, il y a de l'espoir. Lorsque l'amour n'est pas là, il n'y a pas grand-chose à faire. Mais comme je le disais en avant-propos, c'est vous qui connaissez l'état de vos sentiments l'un pour l'autre.

Quant à mes petits tests, s'ils vous ont fait passer quelques bons moments et vous ont permis de vous rapprocher, j'aurai atteint mon but.

Claire Bouchard

---

1. La sexologie étant une profession relativement nouvelle, pour trouver un sexologue professionnel on s'adresse à l'Association des sexologues du Québec : (514) 270-9289).

TABLE DES MATIÈRES

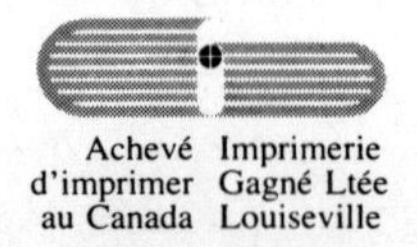

Achevé d'imprimer au Canada
Imprimerie Gagné Ltée Louiseville